Grammaire progressive du français

pour les adolescents

Anne Vicher
ÉCRIMED'
Université de Paris 3

CLE
INTERNATIONAL

À Sarah

Avec mes remerciements à
Christine Heulot, Caroline Alsac, Orsolya Vamos, Estelle Veysset
pour leur aide précieuse.

Avant-propos

La Grammaire progressive du français pour adolescents **(niveau débutant)** s'adresse aux élèves qui débutent l'apprentissage du français comme première ou deuxième langue étrangère.

Grammaire progressive et « ouverte »

• **Progressive**, parce qu'elle suit la **progression des méthodes actuelles** destinées aux adolescents **débutants** qu'elle complète par une reprise des points grammaticaux abordés, accompagnés d'explications claires, de nombreux exemples, d'exercices et d'activités variés toujours en contexte.

– Les points grammaticaux traités sont regroupés de façon cohérente en fonction d'une progression logique dans l'acquisition des connaissances grammaticales **et ils sont mis en relation** avec les **savoir-faire** prioritairement abordés au niveau 1 : se présenter, présenter quelqu'un ou quelque chose, caractériser quelqu'un ou quelque chose, exprimer la quantité, se situer dans le temps et dans l'espace.

• **Ouverte**, parce que chaque unité peut aussi être étudiée de façon indépendante. Elle forme un tout dans un ensemble cohérent.

Il est donc possible de travailler un point spécifique qui pose difficulté aux élèves sans avoir vu les précédents. Et si le point abordé suppose que soit maîtrisé auparavant tel ou tel autre point, un renvoi bleu (**→ p. 16**) dans la marge l'indiquera.

Grammaire pédagogique et « contextuelle »

• **Sur la page de gauche :**

– **Un « déclencheur »**

Pour faciliter la compréhension et « donner du sens » au point grammatical étudié, chaque unité commence par la mise en scène illustrée d'un dialogue, qui se poursuit au fil des unités. Cette bande dessinée va faciliter la découverte*, la compréhension ou la systématisation de la « règle » ou du fonctionnement de ce point grammatical dans la langue française.

* Pour que l'élève découvre ou ébauche la construction de la « règle », il suffit de lui faire cacher l'explication grammaticale, sous le dialogue illustré, et de lui faire faire des hypothèses.

– **Une explication grammaticale** avec de **nombreux exemples** en **contexte**

L'élève a alors la possibilité de plusieurs cheminements possibles, en fonction de ses stratégies d'apprentissage : par la règle (ou les mots clés) et l'exemple, par l'exemple seul (en rouge).

Les explications sont claires, elles vont à l'essentiel mais constituent une base sûre pour une analyse plus approfondie à un niveau supérieur.

– **Une vignette « interculturelle »**

Car la réflexion sur le système linguistique d'une langue étrangère passe aussi par un regard sur le fonctionnement de sa propre langue.

L'élève pourra ainsi réfléchir sur la façon dont il exprimerait telle ou telle notion, dont il traduirait telle ou telle construction dans sa langue (maternelle ou seconde) ou même, pourquoi pas, dans une autre langue étrangère qu'il connaît ou apprend.

• **Sur la page de droite :**

– **Des exercices et activités, toujours en contexte,** variés (exercices lacunaires, de mise en relation, d'expression, de réflexion, de conceptualisation, de communication…), **progressifs** en difficulté, **amusants**… à faire dans la **bonne humeur**.

– Le **vocabulaire** est volontairement simple, limité et ciblé. Il renvoie aux thèmes qui concernent les adolescents : la vie au collège, la famille, les copains, les loisirs, les sorties, les vacances…

– Les **consignes** sont **claires** et **concises** : pour chaque tâche, un verbe pour expliquer à l'élève ce qu'il doit faire.

Grammaire complète

• **À la fin de chaque module :**

– **des exercices de conjugaison** permettent aux élèves d'acquérir ces mécanismes difficiles et contraignants de façon plus ludique ;

– **des bilans** permettent de récapituler, en les reliant ou en les confrontant, les points grammaticaux étudiés.

• **À la fin de l'ouvrage :**

– **un index** très complet, à plusieurs entrées, permet aux enseignants et aux apprenants de trouver rapidement le mot ou le point grammatical qu'ils cherchent ;

– **des tableaux de conjugaison** offre une visualisation rapide des principaux verbes, aux temps vus dans l'ouvrage.

• **Les corrigés** des exercices sont fournis dans un livret placé à l'intérieur du livre.

Titre élève

Déclencheur :
mise en scène d'un point sous la forme d'une bande dessinée.

SE PRÉSENTER

je, nous, on

Bonjour, Carla, je m'appelle Léo. J'ai 11 ans.

Et moi, je suis Alex. J'ai 11 ans aussi.

Nous sommes les frères de Sarah.

On a aussi un chien.

Illustration d'un dialogue en situation dans chaque unité.

Découpage en savoir-faire.

je
- On dit **je** quand on parle de soi.

> **ATTENTION !**
> **Je** = **J'** devant une voyelle (a, e, é, i, o, u, y) et h.
> **Je** suis Alex. **J'**ai un chien.

nous

Nombreux exemples.

- On dit **nous** quand on parle de soi et d'une ou plusieurs autres personnes.

Nous sommes les frères de Sarah.   **Nous** = Alex et Léo

Nous avons un chien.   **Nous** = Sarah, Alex, Léo, M. Marty et Mme Marty

on

Explications claires.

- Dans la langue courante, on emploie très souvent **on** à la place de **nous**.

On a aussi un chien. = **Nous** avons aussi un chien.

> ET DANS VOTRE LANGUE ?
> Est-ce que nous est parfois remplacé par un autre pronom ?

10 – dix

Réflexion possible de l'apprenant sur le fonctionnement du français par rapport à sa propre langue.

CONJUGAISON CONJUGAISON CONJ

Les verbes ÊTRE et AVOIR au présent

Être		Avoir	
je	suis	j'	ai
tu	es	tu	as
il / elle / on	est	il / elle / on	a
nous	sommes	nous	avons
vous	êtes	vous	avez
ils / elles	sont	ils / elles	ont

- Comme dans beaucoup de langues, les verbes **être** et **avoir** sont **irréguliers**.
Il faut apprendre la conjugaison de ces deux verbes par cœur.
- En français, on emploie le verbe **avoir** dans les expressions suivantes :

avoir faim   avoir soif   avoir chaud
avoir froid   avoir de la chance
avoir peur   avoir sommeil
avoir mal à (la tête / la gorge…)

MAIS ON DIT : être fatigué

Tu as de la chance ! Tu habites près de la plage.

ISON CONJUGAISON CONJUGAISON

1. Reliez A et B.

A	B
1. je	a. sommes françaises.
2. tu	b. est italienne.
elle	c. êtes jumelles ?
nous	d. sont amis.
vous	e. suis Carla.
ils	f. es l'ami de Léo ?

2. Reliez A et B.

A	B
1. j'	a. a faim !
2. tu	b. avons soif !
3. on	c. ont sommeil.
4. nous	d. ai chaud.
5. vous	e. as froid ?
6. elles	f. avez mal à la tête ?

3. Complétez avec le verbe être ou avoir.

es l'ami de Léo ?
on .... ensemble au collège.
e bien Léo, il .... sympa.
.... au collège Paul-Verlaine ?
ous .... onze ans.
ntoine et Alex .... dans la même

4. Complétez avec le verbe avoir ou être.

1. Tu as un chien ?
2. Oui, et j'............ aussi une souris blanche.
3. Elle .... six mois.
4. Et vous, vous .... un animal à la maison ?
5. Oui, nous .... un poisson rouge.
6. Il .... toujours soif !

ouvez les formes du verbe être et du verbe avoir et classez-les.

S	M	M	E	S
		S		
E				S
	O			
O	N	S		S
	T		A	
S				
	A		P	

ÊTRE	AVOIR
je suis	j'
tu	tu
il / elle / on	il / elle / on
nous	nous
vous	vous
ils / elles	ils / elles

e forme au verbe être
orr. au verbe avoir.
ez-les.

Avec les lettres restantes de la grille, trouvez le nom d'une grande ville de France :

16 – seize

À la fin de chaque module

Exercices de conjugaison pour permettre d'acquérir des mécanismes de façon ludique.

dix-sept – 17

Titre professeur

- Des exercices variés et progressifs.
- Des activités ludiques.
- Des exercices toujours en contexte.

1. Adrien se présente à Carla
Complétez avec je ou j'.

1. Je m'appelle Adrien Hulot.

2. ... étudie au collège Paul Verlaine.

3. ... suis en sixième.

4. ... habite 9, place des Cerisiers
à Triel-sur-Seine.

5. ... aime le handball.

6. ... joue du violon.

COLLÈGE PAUL VERLAINE – VIE SCOLAIRE
CLASSE DE SIXIÈME
Loisirs des élèves–Sports et musique

Nom	Prénom	Adresse	Sport	Instrument de musique
Hulot	Adrien	9, place des Cerisiers Triel-sur-Seine	handball	violon
Ben Aïd	Karim	8, rue de la Gare Triel-sur-Seine	basket	guitare
Marty	Sarah	12, allée des Roses Triel-sur-Seine	karaté	piano
Votre nom	Prénom	Adresse	Sport	Instrument de musique
....	....	....	....	....
....	....	....	....	....

Des exercices à compléter à l'aide de documents...

2. Vous êtes Karim. Présentez-vous.
Vous êtes Sarah. Présentez-vous aussi.

1. Je m'appelle Karim.   **1.** Je m'appelle Sarah.

2. ....   **2.** ....

3. ....   **3.** ....

4. ....   **4.** ....

5. ....   **5.** ....

3. À vous ! Présentez-vous. Par écrit, ou oralement.

1. ....   **4.** ....

2. ....   **5.** ....

3. ....   **6.** ....

... pour faire rapidement des phrases.

4. Complétez le «mél» de Carla avec nous ou on.

Carla est italienne. Elle apprend le français. Elle est au collège en France, dans la classe de Sarah. Elle envoie un courrier électronique (un «mél») à M. Mariotti, son professeur de français en Italie.

De : Carla   E-mail : carla@gati@gratoos.com
À : M. Mariotti   E-mail : emariotti@scuoladante.it
Objet : Séjour linguistique en France

Bonjour M. Mariotti,
Tout va bien. Dans la classe, on est 30 élèves. .... a 9 professeurs. .... commence à 8 h 30 et .... sort à 16 h 30. Le mercredi, ... n'avons pas cours. C'est chouette ! .... a cours de français tous les jours. Je ne comprends pas tout mais ça va. .... avons aussi sport le vendredi matin. .... joue parfois au basket ou au ping pong.
À bientôt. Carla.

5. Et vous ? Répondez oralement aux questions avec nous puis avec on.

1. Vous avez cours tous les jours ?

2. Vous êtes combien dans la classe ?

3. Vous avez combien de professeurs ?

Des exercices pour parler de soi.

onze – 11

À la fin de chaque module
Bilan
pour récapituler les points grammaticaux étudiés, en les reliant ou en les confrontant.

N BILAN BILAN BILAN BILAN BILAN BI

2. Lisez le texte de l'affiche.
Entourez les adjectifs et dites s'ils sont masculin ou féminin.

*Ton scooter est japonais.
Ta pizza est italienne.
Et ton couscous algérien.
Ta démocratie est grecque.
Ton café est brésilien.
Ta montre est suisse.
Ta chemise est hawaïenne.
Ton baladeur est coréen.
Tes vacances sont turques, tunisiennes ou marocaines.
Tes chiffres sont arabes.
Ton écriture est latine.
Et... tu reproches à ton voisin d'être un étranger ?*

masculin
....

3. Complétez le texte avec des adjectifs de nationalité.
Mettez les adjectifs au masculin ou au féminin selon le cas.

Ta moto est japonaise.   Ta voiture est ....
Tes pâtes sont ....   Ton parfum est ....
Ta paëlla est ....   Ton île préférée est ....
Ton thé est ....   Ton alphabet est ....

4. Continuez. Inventez 4 phrases sur le même modèle.
Ton / Ta / Tes ....
Ton / Ta / Tes ....
Ton / Ta / Tes ....
Ton / Ta / Tes ....

58 – cinquante-huit

1. Lisez le texte suivant et entourez les adjectifs, puis classez-les.

Quittez la ville polluée le dimanche.
*Venez avec nous respirer l'air pur dans la forêt de Fontainebleau.
À travers une forêt magnifique à 40 minutes de Paris.
Vous marchez entre des chênes royaux, des sapins majestueux.
Sur les petits chemins, entre les hautes fougères, vous dégustez des fruits sauvages :
Petites fraises des bois, mûres délicieuses, framboises exquises…
Vous pique-niquez en groupe, le long de ruisseaux d'eau claire ou à l'ombre d'un marronnier centenaire en admirant un paysage extraordinaire. Un repas froid, copieux et équilibré est fourni.*
**Venez nombreux et joyeux.
Nous vous attendons.**
Participation : 25 E. Transport compris.
Rendez-vous place d'Italie, devant le centre commercial.
www.nature-et-balade.fr

Masculin singulier	Masculin pluriel	ADJECTIFS Féminin singulier	Féminin pluriel

cinquante-neuf – 59

Sommaire

vous, tu

vous

- **Vous** marque le respect, la **politesse**.

– En général, un **jeune** dit **vous** à un **adulte**.

Carla (13 ans) à Mme Marty, la maman de Sarah :

Bonjour, **vous** êtes madame Marty ?

– En général, les **adultes** se disent **vous** s'ils ne se connaissent pas bien.

Mme Marty à la maman de Carla, en visite en France :

Vous aimez Paris ?

– On dit **vous** à un **professeur**, aux **commerçants**…

Mme Marty au boulanger :

Vous vendez du chocolat ?

- **Vous** est aussi la marque du **pluriel**, familière ou de politesse.

– **Vous** = **vous** (politesse) + **vous** (politesse)

Carla à M. et à Mme Marty :

Vous connaissez l'Italie ?

– **Vous** = **tu** + **tu**

Mme Marty à Léo et à Alex :

Vous venez, les garçons ?

tu

- **Tu** indique une certaine **familiarité**.

On se dit **tu** :

– entre **jeunes**,

Laure à Carla :

Bonjour, **tu** t'appelles comment ?

– entre **amis**,

Sarah à son amie Laure :

Tu joues au tennis avec moi ce soir ?

– en **famille**,

Mme Marty à sa fille Sarah :

Tu es prête Sarah ? Nous partons.

- Un **adulte** dit souvent **tu** à un **jeune**.

Mme Marty à la correspondante de sa fille :

Bonjour, **tu** t'appelles Carla ?

ET DANS VOTRE LANGUE ?

Est-ce que vous utilisez le même pronom pour parler à un copain ou à un professeur ?

..1.. Reliez A et B.

A	B
1. Carla à la sœur de Mme Marty.	**a.** Vous connaissez l'Italie ?
2. Sarah à Carla sur le quai de la gare.	**b.** Vous êtes la tante de Sarah ?
3. Carla à Alex et à Léo.	**c.** Vous êtes la maman de Sarah ?
4. Carla à Mme Marty, la mère de Sarah.	**d.** Tu vas bien ?
5. Léo à Carla.	**e.** Vous êtes les frères de Sarah ?
6. Carla à M. et à Mme Marty.	**f.** Tu es la correspondante de Sarah ?

..2.. Complétez avec tu ou vous et dites pourquoi, oralement en français, avec des mots simples, ou dans votre langue.

1. Carla : — Pardon, madame, **vous** êtes la mère de Sarah ?

Parce que : *Carla est jeune. Elle parle à une dame, la maman de Sarah. Elle ne connaît pas Mme Marty.* → *Elle dit* **vous**.

2. Mme Marty :　　　　　— Oui et toi, ... es Carla ?

3. Carla (à Alex et à Léo) :　— Ah ! .... êtes Alex et Léo !

4. Alex :　　　　　　　— Oui. Et toi, ... es l'amie de Sarah ?

5. Léo :　　　　　　　— Et .... habites en Italie ?

6. Carla :　　　　　　— .... connaissez l'Italie, madame Marty ?

7. Mme Marty :　　　　　— Oui, un peu. Et toi, ... connais Paris ?

..3.. Complétez les questions avec tu ou vous et conjuguez le verbe être.　　　　→ **présent du verbe *être*, p. 16**

1. Mme Marty à Carla :　　　　— **Tu es** au collège Dante, Carla ?

2. Carla à Mme Marty :　　　　— .... professeur de français, madame Marty ?

3. Sarah à Carla :　　　　　— En Italie, ... en sixième ou en cinquième ?

4. Carla à Léo et à Alex :　　　— .... au collège ou à l'école primaire ?

Léo et Alex :　　　　　— Très drôle !

..4.. Complétez les questions avec tu ou vous et conjuguez le verbe.　　　　→ **présent des verbes en *-er*, p. 36**

1. Mme Marty à Carla :　　　　— **Tu aimes** *(aimer)* le sport, Carla ?

2. Carla à Mme Marty :　　　　— Oui. .... *(aimer)* aussi le sport, madame Marty ?

3. Léo et Alex à Carla :　　　　— Et toi, ... *(aimer)* le foot ?

Carla :　　　　　　— Bien sûr !

4. Léo et Alex à Carla :　　　　— Alors .... *(jouer)* avec nous ?

je, nous, on

Bonjour, Carla, je m'appelle Léo. J'ai 11 ans.

Et moi, je suis Alex. J'ai 11 ans aussi.

Nous sommes les frères de Sarah.

On a aussi un chien.

je

- On dit **je** quand on parle de soi.

> **ATTENTION !**
> **Je** = **J'** devant une voyelle (a, e, é, i, o, u, y) et h.
> **Je** suis Alex. **J'**ai un chien.

nous

- On dit **nous** quand on parle de soi et d'une ou plusieurs autres personnes.

Nous sommes les frères de Sarah.	**Nous** = Alex et Léo
Nous avons un chien.	**Nous** = Sarah, Alex, Léo, M. Marty et Mme Marty

on

- Dans la langue courante, on emploie très souvent **on à la place de nous**.

On a aussi un chien. = **Nous** avons aussi un chien.

ET DANS VOTRE LANGUE ?

Est-ce que nous est parfois remplacé par un autre pronom ?

.1. Adrien se présente à Carla
Complétez avec je ou j'.

1. Je m'appelle Adrien Hulot.

2. ... étudie au collège Paul-Verlaine.

3. ... suis en sixième.

4. ... habite 9, place des Cerisiers.
à Triel-sur-Seine.

5. ... aime le handball.

6. ... joue du violon.

COLLÈGE PAUL-VERLAINE – VIE SCOLAIRE
CLASSE DE SIXIÈME
Loisirs des élèves–Sports et musique

Nom	Prénom	Adresse	Sport	Instrument de musique
Hulot	Adrien	9, place des Cerisiers Triel-sur-Seine	handball	violon
Ben Aïd	Karim	8, rue de la Gare Triel-sur-Seine	basket	guitare
Marty	Sarah	12, allée des Roses Triel-sur-Seine	karaté	piano

Votre nom	Prénom	Adresse	Sport	Instrument de musique
....	....	....	....	....
....	....	....	....	....

.2. Vous êtes Karim. Présentez-vous.
Vous êtes Sarah. Présentez-vous aussi.

1. Je m'appelle Karim.

2. ... .

3. ... .

4. ... .

5. ... .

1. Je m'appelle Sarah.

2. ... .

3. ... .

4. ... .

5. ... .

.3. À vous ! Présentez-vous. Par écrit, ou oralement.

1. ... .

2. ... .

3. ... .

4. ... .

5. ... .

6. ... .

.4. Complétez le « mél » de Carla avec nous ou on.

Carla est italienne. Elle apprend le français. Elle est au collège en France, dans la classe de Sarah. Elle envoie un courrier électronique (un « mél ») à M. Mariotti, son professeur de français en Italie.

De : Carla   E-mail : carlasegati@gratoos.com
À : M. Mariotti   E-mail : emariotti@scuoladante.it
Objet : Séjour linguistique en France

Bonjour M. Mariotti,

Tout va bien. Dans la classe, on est 30 élèves. .... a 9 professeurs. .... commence à 8 h 30 et .... sort à 16 h 30. Le mercredi, ... n'avons pas cours. C'est chouette ! .... a cours de français tous les jours. Je ne comprends pas tout mais ça va. .... avons aussi sport le vendredi matin. .... joue parfois au basket ou au ping pong.

À bientôt. Carla.

.5. Et vous ? Répondez oralement aux questions avec nous puis avec on.

1. Vous avez cours tous les jours ?

2. Vous êtes combien dans la classe ?

3. Vous avez combien de professeurs ?

il, elle, ils, elles, on

il

• **Il** s'emploie pour parler d'une personne, d'un animal ou d'un objet de genre **masculin**.

Il s'appelle Léo. (Léo est un garçon)

Il (= Léo) a un chien.

Il (= le chien) s'appelle Napo.

elle

• **Elle** s'emploie pour parler d'une personne, d'un animal ou d'un objet de genre **féminin**.

Elle s'appelle Carla. (Carla est une fille)

Elle (= Sarah) a une souris.

Elle (= la souris) s'appelle Jo.

ils

• **Ils** s'emploie pour parler de **plusieurs** personnes, animaux ou objets de genre masculin ou masculin et féminin.

Léo et Alex sont frères.

Ils (= Léo et Alex) aiment le foot et les jeux vidéo.

Le chien et la souris sont toujours ensemble.

Ils (= le chien et la souris) sont amis.

elles

• **Elles** s'emploie pour parler de **plusieurs** personnes, animaux ou objets de genre **féminin**.

Sarah et Laure sont dans la même classe.

Elles sont amies.

on

• **On** veut aussi dire «tout le monde». → p. 10

• **On** est suivi d'un verbe au singulier (comme «il» ou «elle»).

Le chien s'appelle Napoléon mais **on** l'appelle Napo. (= Tout le monde l'appelle Napo.)

Au collège Paul-Verlaine, **on** parle français. (= Tout le monde parle français.)

ET DANS VOTRE LANGUE ?

Quel pronom utilisez-vous pour dire «tout le monde» ?

.1.. Reliez A et B.

A		B
1. Carla est italienne.		**a.** Elle est très gentille.
2. Sarah est française.		**b.** Il s'appelle M. Dumas.
3. Le professeur de français s'appelle Mme Merlot.		**c.** Elle étudie le français en Italie.
4. Le directeur est nouveau.		**d.** Il s'appelle Napo.
5. Léo aime le sport.		**e.** Elle apprend l'italien en France.
6. Sarah a un chien.		**f.** Il joue au tennis.

.2.. Reliez A et B.

A		B
1. Léo et Alex sont les frères de Sarah.		**a.** Elles jouent au tennis et au basket.
2. Sarah et Laure sont dans la même classe.		**b.** Ils sont italiens.
3. Léo et Karim habitent à Triel-sur-Seine.		**c.** Ils sont bavards.
4. Carla et son frère Matteo habitent à Vérone.		**d.** Ils sont copains.
5. M. et Mme Marty habitent en France.		**e.** Elles travaillent très bien.
6. Carla, Sarah et Laure sont sportives.		**f.** Ils sont français.

.3.. Complétez avec il, elle, ils ou elles.

1. M. et Mme Segati habitent à Vérone.	*Ils* sont italiens.
2. Ils ont une fille.	...... s'appelle Carla.
3. Carla a une correspondante française.	...... s'appelle Sarah.
4. Sarah a deux frères.	...... s'appellent Léo et Alex.
5. ...... a un chien.	...... s'appelle Napo.
6. ...... a une amie.	...... s'appelle Jo.
7. Carla a un chien et un chat.	...... ne s'aiment pas.

.4. Dites si on = nous ou si on = tout le monde.

	On = nous	On = tout le monde = les gens
1. Demain, on a cours de français. Et toi ?	☒	☐
2. Carla : — On dit que la France est le pays du fromage, c'est vrai, madame Marty ?	☐	☐
3. Mme Marty : — Oui. Et on dit qu'en Italie, les pâtes sont très bonnes, c'est vrai Carla ?	☐	☐
4. Léo : — Et au Brésil, on adore le foot !	☐	☐
5. Sarah et Laure : On invite Carla à l'anniversaire de Caroline ?	☐	☐
6. Carla : Mon frère s'appelle Matteo mais au collège on l'appelle Mat.	☐	☐

moi, toi, lui...

- On utilise le **pronom tonique** (**moi**, **toi**, **lui**...) :

– pour **renforcer** les pronoms sujets (atones) :

— **Moi, je** m'appelle Carla.

– pour **marquer une différence** :

— **Moi, je** suis en cinquième. Et **elle** ?

— **Elle, elle** est en quatrième.

– pour **attirer l'attention** :

— Hé ! **toi** là-bas, **tu** joues avec nous ?

- Les pronoms toniques peuvent être employés **seuls** :

— Je m'appelle Justine. **Et toi ?** (= Et toi, tu t'appelles comment ?)

— Carla. **Et lui ?** (= Et lui, il s'appelle comment ?)

— **Lui** ? Sami.

— **Moi** aussi !

LES PRONOMS TONIQUES

je ↓	tu ↓	il ↓	elle ↓	on ↓	nous ↓	vous ↓	ils ↓	elles ↓
moi	**toi**	**lui**	**elle**	**nous**	**nous**	**vous**	**eux**	**elles**

ATTENTION !

Nous, on étudie.		**Nous, nous** étudions.
Eux, ils étudient.	**MAIS**	**Elles, elles** étudient.
Lui, il étudie.		**Elle, elle** étudie.

ET DANS VOTRE LANGUE ?
Est-ce qu'il y a des pronoms toniques comme moi, toi, lui... ?

1. **Complétez avec le pronom tonique (moi, toi, lui, elle...).**

Dans la cour du collège...

1. Carla : — Bonjour, je m'appelle Carla, je suis la correspondante de Sarah et **toi**, tu t'appelles comment ?

2. Laure : — Je m'appelle Laure. .... aussi, je suis une amie de Sarah.

Tu es italienne ?

3. Carla : — Oui, mais j'apprends le français. Et ...., tu apprends l'italien ?

4. Laure : — Non, ..., j'apprends l'allemand, et l'anglais bien sûr.

Je te présente Karim et Nicolas. Ils sont dans ma classe. ...., ils apprennent l'italien.

5. Karim : — On est dans l'équipe de hand du collège. Et ...., tu fais du hand en Italie ?

6. Carla : — Non, ..., je fais du tennis.

2. **Reliez A et B.**

A	B
1. J'ai 13 ans. Et **toi** ?	**a.** Qui ? Nous ou eux ?
2. Sami et moi, on joue au basket le samedi.	**b.** Et elle, elle mange à la maison à midi.
3. Nous, on fait du tennis le lundi.	**c.** Moi, j'ai 12 ans.
4. Il est italien ?	**d.** Oui. Et toi, tu aimes la musique ?
5. Elles sont dans ta classe ?	**e.** Non, elles, elles sont en quatrième.
6. Vous jouez avec nous ?	**f.** Et eux, ils jouent au basket le dimanche.
7. Tu aimes le sport ?	**g.** Nous aussi.
8. Lui, il mange à la cantine.	**h.** Non. Lui, il est anglais.

3. **Complétez le dialogue avec un pronom tonique (moi, toi, lui...).**

Les verbes ÊTRE et AVOIR

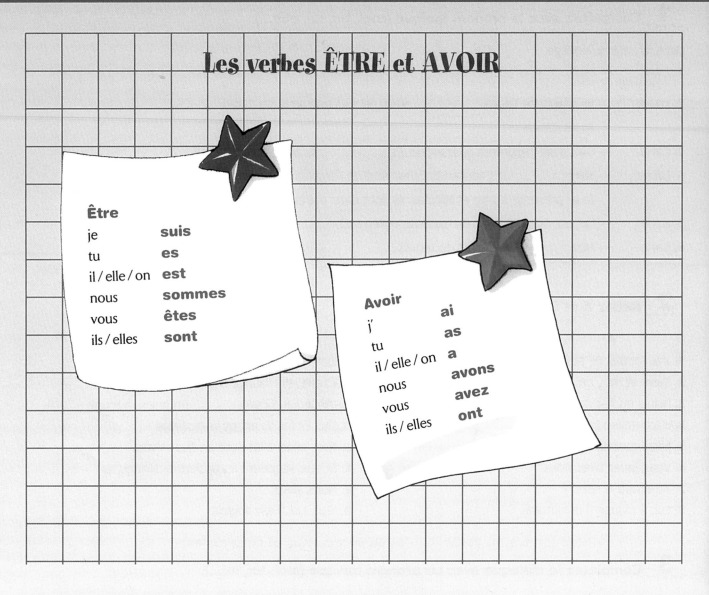

Être

je	**suis**
tu	**es**
il / elle / on	**est**
nous	**sommes**
vous	**êtes**
ils / elles	**sont**

Avoir

j'	**ai**
tu	**as**
il / elle / on	**a**
nous	**avons**
vous	**avez**
ils / elles	**ont**

• Comme dans beaucoup de langues, les verbes **être** et **avoir** sont **irréguliers**. Il faut apprendre la conjugaison de ces deux verbes par cœur.

• En français, on emploie le verbe **avoir** dans les expressions suivantes :

avoir faim	**avoir** soif
avoir froid	**avoir** chaud
avoir peur	**avoir** de la chance
avoir mal à (la tête / la gorge…)	**avoir** sommeil

MAIS ON DIT : **être** fatigué

Tu as de la chance !
Tu habites près de la plage.

1 Reliez A et B.

A	B
1. je	**a.** sommes françaises.
2. tu	**b.** est italienne.
3. elle	**c.** êtes jumelles ?
4. nous	**d.** sont amis.
5. vous	**e.** suis Carla.
6. ils	**f.** es l'ami de Léo ?

2 Reliez A et B.

A	B
1. j'	**a.** a faim !
2. tu	**b.** avons soif !
3. on	**c.** ont sommeil.
4. nous	**d.** ai chaud.
5. vous	**e.** as froid ?
6. elles	**f.** avez mal à la tête ?

3 Complétez avec le verbe être ou avoir.

1. Tu es l'ami de Léo ?

2. Oui, on .... ensemble au collège.

3. J'aime bien Léo, il .... sympa.

4. Vous .... au collège Paul-Verlaine ?

5. Oui, nous .... onze ans.

6. Léo, Antoine et Alex .... dans la même
classe.

4 Complétez avec le verbe avoir ou être.

1. Tu as un chien ?

2. Oui, et j'................. aussi une souris blanche.

3. Elle .... six mois.

4. Et vous, vous .... un animal à la maison ?

5. Oui, nous .... un poisson rouge.

6. Il .... toujours soif !

5 Trouvez les formes du verbe être et du verbe avoir et classez-les.

S	O	M	M	E	S	
	N			S		S
Ê	T	E	S			U
			O			I
A	V	O	N	S		S
I			T		A	
	A	S		S		I
R			A		P	

ÊTRE	AVOIR
je suis	j'................
tu	tu ....
il / elle / on	il / elle / on ....
nous	nous ....
vous	vous ....
ils / elles	ils / elles ....

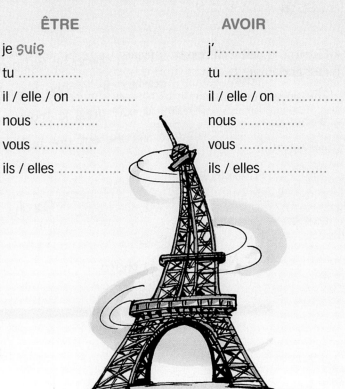

**Il manque une forme au verbe être
et une forme au verbe avoir.
Trouvez-les.**

**Avec les lettres restantes de la grille,
trouvez le nom d'une grande ville de France :**

....

.....**1** Sarah écrit une lettre à sa correspondante italienne, Carla,
pour se présenter et présenter sa famille, son école, sa ville...
Complétez sa lettre.

Paris, le 9 septembre

Chère Carla,

Je m'appelle Sarah. J' .... 12 ans. Je .... en sixième, au
collège Paul-Verlaine, à Triel-sur-Seine.
.... ai deux frères. .... s'appellent Alex et Léo.
.... très bavards. .... avons un chien. .... s'appelle
Napoléon, mais .... l'appelle Napo. .... blanc et noir.
Nous .... aussi une souris blanche. .... s'appelle Joséphine
mais .... l'appelle Jo. .... est très mignonne.
Napo et Jo .... amis. .... jouent toujours ensemble.
Et .... , tu .... un chien, un chat, une souris ?
.... joue du piano et .... fais du karaté et du tennis.
Léo et Alex, ... , font du foot et du tennis. Et .... , ...
es sportive ?

Je t'attends à Paris, dimanche matin à 9 heures.
Mais .... partez de Vérone à quelle heure ?
.... passes la nuit dans le train, non ?
.... dit que Vérone est une belle ville. Paris aussi.

À dimanche

Sarah

P.S. N'oublie pas la photo.

2. **Répondez au questionnaire puis, à votre tour, écrivez une lettre
à un correspondant français pour vous présenter.**

Votre prénom : .... Votre âge : ....

Votre ville : .... Votre classe : ....

Le nom de votre collège : .... Nombre d'élèves dans la classe : ....

Nom du professeur de français : ....

Prénoms de vos amis : ....

Vous avez des frères : oui ☐ non ☐ si oui, combien : ....

                prénom(s) : ....

Vous avez des sœurs : oui ☐ non ☐ si oui, combien : ....

                prénom(s) : ....

Vous avez des animaux : oui ☐ non ☐

          si oui : chien ☐   chat ☐   souris ☐   poisson ☐   autre : ....

          nom de chaque animal : ....

Vos loisirs : ....

....

...................., le ....

Cher ....
Chère ....

Je m'appelle ....
....
....
....
....
....
....
....
....
....

À bientôt.

....

voici, voilà, il y a

voici / voilà

• On utilise **voici** ou **voilà** pour :

– **donner** quelque chose à quelqu'un :

Voici vos lettres.

– **montrer** quelque chose :

Voilà le collège de Léo.

– **présenter** quelqu'un :

Voici Carla.   (= Je te / vous présente Carla.)

– **annoncer** quelque chose ou l'arrivée de quelqu'un :

Voici le facteur. (= Le facteur arrive.)
Voilà le bus.   (= Le bus arrive. Je le vois.)

• **Voici** et **voilà** sont **invariables**. Ils peuvent être suivis d'un nom singulier ou pluriel.

Voici / **voilà** le facteur.
Voilà / **voici** les enfants.

il y a

• **Il y a** indique la **présence** de quelqu'un ou de quelque chose dans un **lieu** ou dans un ensemble de choses :

Au collège Paul-Verlaine, **il y a** 400 élèves.
Dans le courrier, **il y a** une carte pour Carla.

• **Il y a** est **invariable**. Il peut être suivi d'un nom singulier ou pluriel.

Dans la classe de Léo, **il y a** 30 élèves.
Dans la classe de Sarah, **il y a** une nouvelle élève.

ET DANS VOTRE LANGUE ?

• Est-ce qu'il y a des petits mots, comme voici / voilà, pour présenter quelqu'un ou quelque chose ?

• Comment traduisez-vous il y a ?
Est-ce que c'est un mot invariable dans votre langue ?

..1.. **Reliez A et B.**

A	B
1. Au collège Paul-Verlaine,	**a.** Sarah. C'est très bien.
2. Carla,	**b.** il y a un lit.
3. Dans ma classe,	**c.** voici ton sac. On part ?
4. Voilà votre devoir,	**d.** il y a 16 filles et 14 garçons.
5. Ah ! Enfin !	**e.** il y a 400 élèves.
6. Dans la chambre de Sarah,	**f.** Voilà le métro.

..2.. **Dites ce qu'il y a dans la chambre de Sarah, sur les murs, sur le bureau.**

1. Dans la chambre de Sarah,

— il y a deux chaises.

— ....

— ....

— ....

2. Sur les murs,

— ....

— ....

— ....

3. Sur le bureau,

— ....

— ....

— ....

4. Dans la bibliothèque,

— ....

— ....

— ....

..3.. **Faites une phrase avec voici ou voilà, selon le modèle.**

1. Le facteur donne le courrier à Mme Marty :

— Voilà le courrier, madame Marty.

2. Sarah donne deux cartes postales à Carla :

— Carla, ... deux cartes postales pour toi.

3. Sarah présente Antoine et Éléonore à Carla :

— Carla, ...

4. Sarah attend l'autobus avec Carla. Il arrive enfin…

Sarah : — ....

5. Les élèves de sixième bavardent. Ils parlent très fort.
Le professeur de français arrive.

Sarah : — Chut ! ....

c'est / ce sont

• On utilise **c'est / ce sont** (à la place de *voici* ou *voilà*) pour identifier quelque chose ou quelqu'un.   ➜ **p. 20**

C'est, en quelque sorte, une réponse à la question : *Qui est-ce?* ou *Qu'est-ce que c'est?* (posée ou non).   ➜ **p. 30**

Arthur : Qui est-ce ?

Mme Daniel : **C'est** Carla.

Mme Daniel à Carla :
— **Ce sont** mes enfants.
(= Mme Daniel fait comme si Carla avait posé la question *Qui est-ce ?*)

— **C'est** la chambre d'Arthur.
(= Mme Daniel fait comme si Carla avait posé la question *Qu'est-ce que c'est ?* ou *C'est votre chambre ?*)

• On utilise **c'est** devant un **singulier**.
  ce sont devant un **pluriel**.

Qui est-ce ?

C'est Carla.   **Ce sont** mes enfants.
singulier   pluriel

REMARQUES :

• Avec le présentatif **c'est**, on utilise le **pronom tonique seul**.

— Qui est-ce ? (à l'interphone par exemple)
— C'est **moi**.
— Ah, c'est **toi** !

• Devant **deux prénoms**, *nous* et *vous*, on peut dire **c'est**.

— Qui est-ce ? (à l'interphone par exemple)
— **C'est** nous.
— Qui ça, nous ?
— **C'est** Léo et Sarah.
— Ah, **c'est** vous !

ET DANS VOTRE LANGUE ?

Est-ce qu'on dit c'est... devant un singulier et ce sont... devant un pluriel ?

1. **Répondez aux questions de Carla avec** c'est **ou** ce sont**.**

Ce sont des tomates. ....

Qu'est-ce que c'est ?
C'est une tomate.

....

2. **Reliez** A **et** B **et faites une phrase selon le modèle.**

A	B
1. Louise attaque	**a.** chanteur turc
2. Catherine Deneuve et Sophie Marceau	**b.** mannequins internationaux
3. Cédric Pioline	**c.** actrices françaises
4. Zinedine Zidane et Nicolas Anelka	**d.** chanteur d'opéra
5. Pavarotti	**e.** acteur américain
6. Leonardo di Caprio	**f.** joueur de tennis français
7. Tarkan	**g.** footballeurs français
8. Claudia Schiffer, Naomi Campbell et Lætitia Casta	**h.** groupe de rock français

1. Louise attaque, qui est-ce ? — C'est un groupe de rock français.

2. Catherine Deneuve et Sophie Marceau, qui est-ce ?— Ce sont des actrices françaises.

3. Cédric Pioline, ...

....

4. Zinedine Zidane et Nicolas Anelka, ...

....

5. Pavarotti, ...

....

6. Leonardo di Caprio, ...

....

7. Tarkan, ...

....

8. Claudia Schiffer, Naomi Campbell et Lætitia Casta, ...

....

c'est / ce sont
il est / ils sont

PRÉSENTER QUELQU'UN / QUELQUE CHOSE

De   iannisxe@mamadoo.fr
A   philgauthier@freeoos.gr

Philippe,
Ce sont mes copains et mes copines.
Celui qui tire la langue, **c'est Sami.**
À sa droite, **c'est Justine.**
Elle est mignonne, non ?
Et je connais sa mère…
Elle est professeur d'histoire
au collège.
À gauche, **c'est Leila. Elle est
française et marocaine.**
C'est la meilleure copine de Justine.
Devant, allongée sur le sol,
c'est Carla. Elle est italienne.
Derrière, **c'est Sarah et Tony.**
Elle est française. Il est vietnamien.
Ils sont drôles. Tu ne trouves pas ?

• On utilise **c'est** ou **ce sont** :

– pour **présenter** une ou des personnes, par leur prénom ou par leur nom,

  C'est Iannis.   **Ce sont** M. et Mme Koutos.

– pour dire qui elle est (qui ils sont).
  Dans ce cas, **c'est** est **suivi** d'un article (**le, un**…),   → pp. 26 et 28
  d'un possessif (**mon, ta**…), d'un démonstratif (**ce, ces**…).   → pp. 40, 42 et 44

  C'est le père de Iannis.   **Ce sont les** parents de Iannis.

  C'est un traducteur.   **Ce sont des** traducteurs.

  C'est mon voisin.   **Ce sont mes** voisins.

• On utilise **il est** ou **ils sont** :

– pour **caractériser** une ou des personnes avec un **adjectif qualificatif,**   → pp. 46, 48 et 50

  Il est grec.   **Ils sont** grecs.

– ou avec un **nom sans article.**

  Il est traducteur.   **Ils sont** traducteurs.

ET DANS VOTRE LANGUE ?

Comment est-ce qu'on
présente quelqu'un ?

..1.. Reliez A et B pour découvrir la petite histoire.

Je vous présente mes amis :

A	B
1. Moi, c'est	**a.** le capitaine de l'équipe de foot du collège.
2. Et elle, c'est	**b.** très sportif.
3. Comme moi, elle est	**c.** Karim.
4. Farid, c'est	**d.** une très bonne amie de Leila.
5. Il est	**e.** Leila.
6. C'est	**f.** amoureuse de Iannis.
7. Et voilà Justine, c'est	**g.** marocaine et française.
8. Elle est	**h.** un secret !
9. Et elle est	**i.** très forte en math.
10. … Mais chut ! C'est	**j.** son cousin.

..2.. Présentez ces deux vedettes. Complétez leur portrait avec *c'est*, *il est*, *elle est*.

Lara Somer

1. C'est une actrice de cinéma.

2. mais .... est aussi chanteuse.

3. .... un ex-mannequin.

4. Et maintenant .... est aussi présentatrice d'émissions de télévision.

5. .... est anglaise et française.

6. .... la fille d'Isabelle Printemps.

7. .... une chanteuse connue des années 70.

8. .... est grande, ... est blonde.

9. .... l'amie de K.F. Sugar.

K.F. Sugar

a. C'est un chanteur de rap.

b. .... aussi un écrivain.

c. .... est poète.

d. .... français.

e. .... un garçon très séduisant.

f. .... grand, ... mince.

g. .... un métis.

h. .... originaire des Antilles.

i. .... ami avec Lara Somer.

..3.. Sur le même modèle, présentez votre chanteur préféré, votre actrice préférée ou une vedette connue dans votre pays. Utilisez *c'est*, *il est* ou *elle est*.

→ féminin des adjectifs, p. 46

Nom de la vedette : ....

1. C'est ....

2. Il / elle est ....

3. ....

4. ....

5. ....

6. ....

7. ....

le, la, l', les

On utilise l'**article défini** **le**, **la**, **l'**, **les** :

– pour parler de **quelque chose en général** :

   J'adore **la** natation. (= J'adore nager.)

– pour parler d'une **chose unique**, d'une **personne précise** :

   Carla et Sarah visitent **la** tour Eiffel. (= Il n'y a pas deux tours Eiffel.)

   La mère de Sarah. (= Sarah n'a qu'une mère.)

– parler de quelqu'un ou de quelque chose que **tout le monde connaît** :

   Chut ! Voici **le** directeur ! (= Tous les élèves connaissent M. Dumas, le directeur du collège.)

LES ARTICLES DÉFINIS

singulier		pluriel
masculin	féminin	masculin / féminin
Le directeur arrive.	Leila aime **la** piscine.	Léo aime **les** chiens. (**le** chien)
		Il aime **les** souris blanches. (**la** souris)
		→ p. 48
devant une voyelle ou h		
L' ami de Léo s'appelle Antoine.	**L'** amie italienne de Sarah s'appelle Carla.	**Les** amis de Léo sont Mathias z et Sami. (**l'ami** = masculin)
		Les amies de Sarah sont Laure z et Carla. (**l'amie** = féminin)

→ p. 48

ET DANS VOTRE LANGUE ?
Est-ce que l'on utilise l'article défini (le, la, l', les) de la même manière ?

1. **Complétez avec** le, la, les, l'.

Sarah et Carla se promènent dans Paris.
Elles visitent :

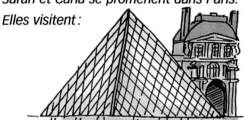  

...... Louvre   ...... Arc de triomphe   ...... tour Eiffel

Elles se promènent :

dans ...... jardin du Luxembourg   sur ...... Champs-Élysées   sur ...... place du Tertre à Montmartre.

2. **Reliez** A **et** B **et complétez avec** le, la, les, l'.

A	B
1. Je lis	**a.** .... Louvre.
2. Je visite	**b.** les livres de Sarah.
3. Je mange	**c.** .... photo de .... classe de Justine.
4. Je joue avec	**d.** .... dessert de Laure.
5. Je regarde	**e.** .... élèves de cinquième.

3. **Dites ce que vous aimez, ce que vous adorez, ce que vous détestez :**
quatre mots par phrase.
Utilisez le, la, les, l'.

- karaté – judo – tennis – football – piscine
- mer – soleil – plage – montagne – neige – pluie
- chocolat – camembert – yaourts – coca – croissants – salade
- chats – chiens – éléphants – lions
- printemps – été – automne – hiver

le chocolat

J'aime   ...., ..., ..., ...

J'adore   ...., ..., ..., ...

Je déteste ...., ..., ..., ...

un, une, des

• On utilise l'**article indéfini un**, **une**, **des** pour parler de quelqu'un
ou de quelque chose pour la **première fois** :

Il y a **un** nouvel élève dans ma classe. (C'est la première fois que Justine parle de Iannis à Leila.)

> **RAPPEL**
>
> Pour parler de quelqu'un ou de quelque chose qu'on connaît déjà, on utilise **le**, **la**, **les** :   **→ p. 26**
> Leila, plus tard, à Justine : J'ai vu **le** nouvel élève. Il est très mignon.

• **un / une = 1**

Iannis a **une** sœur et deux frères. (= 1 sœur et 2 frères.)

> **REMARQUE**
>
> On dit :
> J'ai **un** chien. (Il s'appelle Napo.)
> J'aime **les** chiens. (J'aime les chiens en général. J'aime **tous** les chiens.)

• **un / une = un parmi d'autres**

— Qui est-ce ?
— C'est Justine, **une** amie de Leila. (Leila a aussi d'autres amies : Sarah, Laure, Justine…)

> **REMARQUE**
>
> Pour dire que Justine est **la seule** amie de Leila, on utilise l'article défini :
> — Qui est-ce ?
> — C'est Justine, **l'**amie de Leila.

LES ARTICLES INDÉFINIS

singulier		pluriel
masculin	**féminin**	**masculin / féminin**
Iannis a **un** pantalon noir.	Justine a **une** jupe noire.	Leila a **des** gants noirs. (**un** gant)
		Karim a **des** chaussures noires. (**une** chaussure)
devant une voyelle ou h		
Sarah a **un** ordinateur. n	Sarah a **une** amie italienne. n	Mme Marty a **des** enfants. z

ET DANS VOTRE LANGUE ?

Est-ce qu'on fait la différence entre
« c'est une amie de Leila » et
« c'est l'amie de Leila » ?

.1. **Complétez avec** un, une, des.

Sur le bureau de Justine, il y a .... livres, ... cahiers, ... stylo, ... gomme, ... verre, ...
bonbons, ... tasse avec .... crayons dedans, ... bloc de feuilles de papier, ... ordinateur avec
.... souris, ... photo et .... magazines.

.2. **Complétez avec** un, une, des **ou** le, la, l', les.

Sarah est à Paris, chez sa tante. De la fenêtre du salon, elle voit .... toits. Ce sont .... toits de Paris. Elle voit
.... grand jardin, c'est .... jardin du Luxembourg. Elle voit .... rues et deux boulevards : .... boulevard
Saint-Michel et .... boulevard de Port-Royal. Là-bas, à gauche, au fond, il y a .... tour. C'est .... tour
Montparnasse. À droite, sur la Seine, il y a .... pont, c'est .... Pont-Neuf. Dans .... rues parisiennes, il y
a .... voitures, ... piétons, mais aussi .... vélos et .... rollers. Le long des rues, il y a ....
immeubles. Au rez-de-chaussée, on trouve souvent .... magasins, ... cafés. Dans .... rue de ....
tante de Sarah par exemple, il y a .... boulangerie, ... boucherie et .... marchand de journaux. ....
boulangère connaît bien .... jeunes du quartier. C'est .... tante de Sarah !

.3. **Faites des phrases selon le modèle.**

1. chien   J'ai un chien.   J'aime les chiens.

2. chat   ....

3. souris   ....

4. poissons rouges   ....

5. perroquet   ....

6. tortue   ....

.4. **Complétez les questions, choisissez et répondez.**

1. — Voici deux pommes, une rouge et une verte. Laquelle choisis-tu ?
   — La pomme rouge.

2. — Il y a deux pantalons dans la boutique, ... noir et ...... bleu. Lequel choisis-tu ?
   — ....

3. — J'ai ...... bonbon à la menthe et ...... bonbon au chocolat. Lequel préfères-tu ?
   — ....

4. — Je vois deux filles, ... grande avec des lunettes et ...... petite avec un chapeau.
   Qui est Leila ?
   — ....

5. — Tante Hortense a beaucoup d'animaux domestiques : ...... gros chien blanc,
   ...... petite chatte tigrée, ... perroquet bleu, ... araignée noire.
   À votre avis, lequel est-ce que Sarah préfère ?
   — ....

2 Qui est-ce ? Qu'est-ce que c'est ? Qu'est-ce que... ?

- On utilise **Qui est-ce ?** pour identifier une personne :

  – **Qui est-ce ?**

  – (C'est) Sarah et Carla. (Dans la réponse, on peut enlever **c'est**.)

- On utilise **Qu'est-ce que c'est ?** pour identifier un objet :

  – **Qu'est-ce que c'est ?**

  – (C'est) un cadeau.

- On utilise **Qu'est-ce que... ?** devant un verbe conjugué :

  – **Qu'est-ce que** tu as dans la bouche ?

  – (J'ai) un bonbon.

  – **Qu'est-ce que** tu manges ?

  – (Je mange) un bonbon.

ATTENTION !

- **Que = qu'** devant une voyelle ou h :
- – **Qu'est-ce qu'**il y a dans la boîte ?
- – Il y a une surprise.

- **Qui est-ce ? Qu'est-ce que c'est... ?** sont toujours invariables :

      – **Qui est-ce ?**   – **Qu'est-ce que c'est ?**

  – **C'est** Sarah. – **Ce sont** les parents de Sarah. – **C'est** un bonbon. – **Ce sont** des bonbons.

ET DANS VOTRE LANGUE ?

Est-ce que Qu'est-ce que c'est ? et Qui est-ce ? sont invariables ?

..1.. Reliez A et B. Attention! Parfois deux réponses sont possibles.

A	B
1. Qui est-ce?	**a.** Du poulet ou de la saucisse avec des frites ou des épinards.
2. Qu'est-ce que c'est?	**b.** C'est Leila.
3. Qu'est-ce qu'il y a au menu aujourd'hui?	**c.** Carla, la jeune fille italienne.
4. Qu'est-ce que tu choisis?	**d.** Un faux tatouage.
5. Qu'est-ce que tu as sur le bras?	**e.** Ben, la tour Eiffel, voyons.
6. Qui est-ce?	**f.** Poulet frites.

..2.. Posez la bonne question.

1. Zidane, qui est-ce?   — C'est un champion de foot.

2. Gérard Depardieu, ...?   — C'est un acteur français.

3. Le TGV, ...?   — C'est un train très rapide.

4. Céline Dion, ...?   — C'est une chanteuse québécoise.

5. Un croissant, ...?   — C'est une pâtisserie française.

6. *Notre-Dame de Paris*, ...? — C'est un roman de Victor Hugo mais c'est aussi un spectacle musical.

7. Mme Merlot, ...?   — C'est le professeur de français de Sarah.

..3.. Continuez. Posez la bonne question.

1. Qu'est-ce que tu lis?   — (Je lis) une BD.

2. ....? — (Sur la table, il y a) un gâteau d'anniversaire.

3. ....? — C'est joli! (Dans les cheveux, j'ai) un foulard indien. C'est la mode.

4. ....? — (Ce soir, on mange) une pizza.

5. ....? — C'est le petit frère de Laure.

6. ....? — Il est lourd! (Dans mon sac, je porte) quatre livres, cinq cahiers,
un jogging et des baskets pour la gym, une bouteille d'eau
et des gâteaux. C'est tout.

7. ....? — Je ne sais pas. Je ne connais pas ce truc bizarre.

**..4.. Posez une question à votre camarade. S'il ne connaît pas la réponse,
il pose à son tour une question selon le modèle.**

1. Tu connais Linda Lemay?   — Non, qui est-ce?

2. Tu connais ce truc-là?   — Non, qu'est-ce que c'est?

À vous!

— ....   — ....

— ....   — ....

ne ... pas

- Dans la **négation** (**ne ... pas**), **ne** se place devant le verbe et **pas** derrière le verbe.

Je **ne**   mange   **pas**.
          verbe

Je **ne**   suis   **pas** amoureuse.
          verbe

> **ATTENTION !**
> **ne** = **n'** devant une voyelle ou h.
> Elle **n'**est pas amoureuse.
> Elle **n'**habite pas à Paris.

- Avec les verbes réfléchis comme *je m'appelle, tu te lèves, il se lave…*, **ne** se place devant **me, te, se**…

Je **ne** m'appelle **pas** Yannick, je m'appelle Iannis.

→ conjugaison de *s'appeler* p. 56

Elle **ne** se lave **pas** les cheveux tous les jours.

PHRASE AFFIRMATIVE	PHRASE NÉGATIVE			
Je suis grec.	Je	**ne**	suis	**pas** québécois.
Je suis dans la classe de Marie.	Je	**ne**	suis	**pas** dans la classe de Léo.
Je mange souvent à la cantine.	Je	**ne**	mange	**pas** souvent à la cantine.
Justine vient avec moi, mais…	Elle	**n'**	a	**pas** faim.

> **ET DANS VOTRE LANGUE ?**
> • Comment faites-vous une phrase négative ?
> • Est-ce que la négation se met devant ou derrière le verbe ?

..1.. Complétez avec n' ou ne.

1. Je **ne** m'appelle pas Yannick mais Iannis.

2. Je …… suis pas une fille, je suis un garçon.

3. Je …… ai pas 12 ans, mais j'ai 13 ans et demi.

4. Mon père …… est pas français. Il est grec.

5. Ma mère …… est pas grecque, elle est québécoise.

6. Nous …… habitons pas en Grèce mais en France.

7. Au collège, je …… apprends pas le grec mais le latin.

8. Je …… vais pas au lycée, je vais au collège.

..2.. Posez des questions et répondez négativement, selon le modèle.

1. Aller à la piscine   Tu vas à la piscine ?   Non, je ne vais pas à la piscine, mais je vais au cinéma.

2. Parler grec   Ton frère ……………………   Non, ……………………………
……………………………   mais ……………………………

3. Aimer le rap   Vous ……………………   Non ……………………………
……………………………   mais ……………………………

4. Dîner au restaurant   Elle ……………………   Non, ……………………………
……………………………   ……………………………

5. Habiter à Paris   Ils ……………………   Non, ……………………………
……………………………   ……………………………

6. Téléphoner à Elsa   Il ……………………   Non, ……………………………
……………………………   ……………………………

..3.. Mettez les mots dans le bon ordre.

amoureuse ■ je ■ Iannis ■ ne ■ pas ■ suis ■ de
Je ne suis pas amoureuse de Iannis.

1. je ■ Julie ■ mais ■ ne ■ pas ■ m'appelle ■ Justine

……………………………………………………………………………

2. Sarah ■ sont ■ et ■ ne ■ Laure ■ pas ■ dans ■ la ■ de ■ classe ■ Justine

……………………………………………………………………………

3. pas ■ Carla ■ est ■ italienne ■ n' ■ elle ■ allemande ■ est

……………………………………………………………………………

4. cantine ■ je ■ mange ■ mange ■ pas ■ maison ■ à midi ■ ne ■ à la ■ je ■ à la

……………………………………………………………………………

5. nous ■ souvent ■ n' ■ à ■ tante Hortense ■ écrivons ■ pas

……………………………………………………………………………

6. ce ■ de ■ est ■ pas ■ la ■ n' ■ sœur ■ Sarah

……………………………………………………………………………

7. c' ■ la ■ de ■ sœur ■ Iannis ■ est. / Elle ■ pas ■ apprend ■ l' ■ n' ■ au ■ allemand ■ collège

……………………………………………………………………………

ne ... pas le, ne ... pas un
ne ... pas de

ne ... pas le / la / les

→ la négation, p. 32

- Avec la négation, l'**article défini** (**le**, **la**, **l'**, **les**) ne change pas.

Je suis **le** frère de Iannis,	je **ne** suis **pas le** frère de Leila.
Je connais **la** fille de Mme Marty,	je **ne** connais **pas la** fille de Mme Martin.
Ce sont **les** enfants de Mme Martin,	ce **ne** sont **pas les** enfants de Mme Garnier.

ne ... pas un / une / des

- La négation avec le verbe **être**

L'article indéfini (**un**, **une**, **des**) ne change pas.

C'est **un** élève de la classe de Justine,	ce **n'est pas un** élève de la classe de Sarah.
Je suis **une** élève de la classe de Sarah,	je ne suis **pas une** élève de la classe de Léo.
Nous sommes **des** élèves de la classe de Léo,	nous **ne** sommes **pas des** élèves de la classe de Karim.

ne pas ... de

- La négation avec le verbe **avoir** ou d'autres verbes

L'article indéfini (**un**, **une**, **des**) devient **de**.

J'ai **un** frère,	je **n'ai pas de** sœur.
Il a **une** sœur,	il **n'a pas de** frère.
Elle garde **un** enfant,	elle **ne** garde **pas d'**animal.
Ils veulent **des** souris,	ils **ne** veulent **pas de** chats.

ET DANS VOTRE LANGUE ?
Est-ce que l'article change parfois après la négation ?

..1.. **Complétez les phrases de la colonne B, puis reliez A et B.**

A	B
1. Léo a une chaîne stéréo	**a.** mais je n'aime pas .... légumes.
2. Elle aime le rap	**b.** mais ce n'est pas .... sœur de Carla.
3. C'est le frère de Léo	**c.** mais ce n'est pas .... ami d'Antoine.
4. J'aime les fruits	**d.** ce n'est pas .... joueur de tennis italien.
5. Sarah est la sœur de Léo et d'Alex	**e.** mais il n'a pas d'ordinateur.
6. Zidane ? C'est un footballeur français	**f.** mais elle n'aime pas .... rock.

..2.. **Le jeu des sept erreurs. Regardez à nouveau le dessin p. 21.**
Regardez maintenant attentivement ce dessin. Sept objets ont disparu. Lesquels ?

1. Devant le lit, il n'y a pas de cartable.

2. Sur le mur, ...

3. Sur le lit, ...

4. ....

5. ....

6. ....

7. ....

..3.. **Trouvez sept choses que vous avez et sept choses que vous n'avez pas**
dans votre chambre. Faites sept phrases selon le modèle.

1. Dans ma chambre, j'ai un ordinateur mais je n'ai pas de chaîne stéréo.

2. ....

3. ....

4. ....

5. ....

6. ....

7. ....

Les verbes en -er

Parler

je	parl**e**
tu	parl**es**
il / elle / on	parl**e**
nous	parl**ons**
vous	parl**ez**
ils / elles	parl**ent**

Visiter

je	visit**e**
tu	visit**es**
il / elle / on	visit**e**
nous	visit**ons**
vous	visit**ez**
ils / elles	visit**ent**

ATTENTION !

Manger

je	mang **e**
tu	mang **es**
il / elle / on	mang **e**
nous	mang**e** ons
vous	mang **ez**
ils / elles	mang **ent**

Commencer

je	commenc e
tu	commenc es
il / elle / on	commenc e
nous	commen**ç** ons
vous	commenc ez
ils / elles	commenc ent

• Les verbes en **-er** sont les plus **nombreux**.
Tous les nouveaux verbes se terminent par **-er** :

– *zapper* (= changer de chaîne de télé avec la télécommande),
– *cliquer* (= appuyer sur le bouton de la souris de l'ordinateur),
– *surfer* (= faire du surf ou se balader sur Internet).

• Pour former le présent des verbes en **-er** :
– on enlève la terminaison **-er**,
– et on la remplace au singulier par **-e, -es, -e**,
                au pluriel par **-ons, -ez, -ent**.

→ liste des verbes, p. 116

ATTENTION !
• Les verbes qui se terminent par **-ger** prennent un e à la 1ʳᵉ personne du pluriel :
nous mangeons, nous nageons…

→ liste des verbes, p. 117

Avec un **e après le g** devant **a, o, u**, g se prononce [ʒ] comme dans **je** :
— Ge**o**rges est là ?
— Oui, il est avec **Gi**sèle. Nous mang**eo**ns avec eux ce soir.

• Les verbes qui se terminent par **-cer** prennent une **cédille (ç)** à la 1ʳᵉ personne du pluriel :
nous commençons, nous avançons…

→ liste des verbes, p. 117

Avec une **cédille (ç) sous le c** devant **a, o, u**, c se prononce [s] :
— **Ç**a va, les gar**ç**ons ?
— Bof ! Nous avons une le**ç**on de fran**ç**ais très diffi**ci**le, mais nous avan**ç**ons.

...1... Conjuguez les verbes au présent selon les modèles.

Habiter à Paris	Regarder la télévision	Écouter la radio
J'habite à Paris.	Nous	On ....
Vous	Tu	Elles ....

Ne pas habiter à Lyon	Ne pas parler allemand	Ne pas jouer au foot
Nous n'habitons pas à Lyon.	Tu	Elle ....
On	Vous	Nous ....

Avoir faim	Commencer le repas	Manger un gâteau
On	Elle	Ils mangent un gâteau.
Tu	Nous	Nous ....

Ne pas commencer avant 10 heures	Ne pas avoir de devoirs	Ne pas manger à la cantine
Nous	Tu n'as pas de devoirs.	Vous ....
Tu	Je	Nous ....

Déménager	Ne pas changer de quartier	Garder ses copains
Nous	Mais nous	Donc, on garde nos copains.
Les parents de Leila	Mais ils	Leila et ses frères ....

1. **Complétez la légende des dessins.**

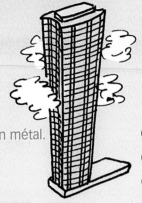

Qu'est-ce que c'est?

C'est une tour en verre et en métal.

C'est la tour Montparnasse.

Elle est très haute.

C'est .... musée.

C'est .... musée des Arts modernes de Paris.

On l'appelle aussi .... Centre Georges-Pompidou,

ou Centre Beaubourg. Il est rue Beaubourg.

Ce .... est .... loin

d'........ autre musée

très célèbre : ....

musée du Louvre.

Qu'est-ce que c'est?

.... pyramide.

.... Pyramide du Louvre.

.... très belle.

C'est .... entrée du musée.

.... Pyramide du Louvre est dans .... cour.

C'est .... cour Napoléon.

Devant, ... une place.

.... la place du Carrousel.

Sur .... place du Carrousel, ... un arc

de triomphe. C'est .... arc de triomphe

du Carrousel. Sur .... arc,

il y a .... chevaux. .... les chevaux

de Marly. .... magnifiques.

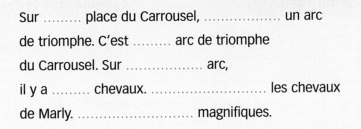

.... une autre cour.

.... la Cour carrée.

Elle est derrière .... Louvre.

Parfois, ... des défilés de mode

dans .... Cour carrée.

Ah, enfin .... jardin.

C'est .... très grand jardin.

.... Jardin des Tuileries.

Il prolonge .... jardins du Carrousel et il va

jusqu'à .... place de la Concorde.

2. **À votre tour... Dessinez un monument de votre ville ou collez une photo.**
Décrivez le monument selon le modèle. Utilisez : il y a, c'est, il/elle est,
un/une/des, le/la/les.

3. **Complétez la lettre de Carla avec:** un/une/des, le/la/les, ne/n'... pas, ne/n'... pas de, voici/voilà, il y a, c'est/ce sont, il est/ils sont **et conjuguez les verbes au présent.**

Le 15 octobre

Chers parents,

Tout va bien. .... famille de Sarah est très gentille. Sarah est très sympa: c'est maintenant .... très bonne copine. Les deux garçons, Léo et Alex, ont presque 11 ans. .... des jumeaux. .... très drôles. Sarah a .... chien, Napo, et .... jumeaux ont .... souris, Jo.

La maison est grande. .... cinq chambres. .... aussi un grand jardin. .... amis de Sarah .... (habiter) .... pas loin. On .... (rentrer) du collège ensemble et parfois on .... (goûter) et on .... (écouter) de la musique chez Sarah, chez Laure ou chez Justine. .... super! Après le goûter, Sarah et moi, nous .... (étudier) nos leçons et nous .... (bavarder).

Près de Triel, ... une forêt. C'est .... forêt de Saint-Germain-en-Laye. Le week-end, on fait .... grande balade avec .... chien. Au bout de .... forêt, il y a .... château. .... le château de Saint-Germain. Ici, on dit le Saint-Ger'.

Je .... (téléphoner) dimanche.
À bientôt.
Je vous embrasse.

Carla

.... une photo de nous devant de château de Saint-Ger'.

3

mon, ton, son, notre, votre, leur... (1)

- Salut, Iannis, tu viens à la piscine avec nous ?
- Super ! Je demande à ma mère.
- Iannis, ton maillot !
- Vite, vite, mon sac de sports, ma serviette éponge, mes tongs...

• On utilise **le possessif** (**mon**, **ton**, **son**...) pour exprimer un **lien** (d'appartenance, de parenté...) **entre** une personne **et** un objet ou une autre personne :

personne	objet ou autre personne	possessif
je (moi)	le maillot	→ **m**on maillot
tu	le sac	→ ton sac
il	le père (de Léo)	→ **s**on père
elle	le père (de Sarah)	→ **s**on père
nous	le directeur	→ **n**otre directeur
vous	le collège	→ votre collège
ils	le collège (de Léo et Alex *ou* de Sarah et Léo)	→ leur collège
elles	le collège (de Leila et Justine)	→ leur collège

ET DANS VOTRE LANGUE ?

Est-ce que vous utilisez le même possessif pour dire :
- Sarah va à son cours de piano,
- Léo va à son cours de saxophone ?

1. **Transformez les phrases avec l'adjectif possessif correspondant.**
Commencez par c'est ou ce sont.

→ pp. 40 et 42

1. J'ai un chien.   *C'est mon chien*

2. Tu as un chat. ....

3. Iannis a un perroquet. ....

4. Leila a un rat. ....

5. Léo a une souris. ....

6. Khaled et Farid ont des poissons rouges. ....

7. Ils ont aussi une chatte. ....

8. Nous avons tous des animaux. ....

9. Et vous, vous avez un animal ? ....

2. **Ça appartient à qui ?**

	À Iannis **ou** à sa sœur	À Iannis **et** à sa sœur
1. C'est leur chien.	☐	☐
2. Ce sont leurs livres.	☐	☐
3. Ce sont ses rollers.	☐	☐
4. C'est leur ordinateur.	☐	☐
5. Ce sont leurs vêtements de sport.	☐	☐
6. C'est sa raquette de tennis.	☐	☐
7. C'est son cartable.	☐	☐
8. Ce sont ses bonbons.	☐	☐

3. **Complétez le dialogue avec des possessifs.**

Mme Koutos :

— Iannis, tu exagères. Regarde *ta* chambre :

.... pantalon, ... tee-shirts, ... blouson,

.... ceinture, ... rollers, ... maillot de bain,

.... serviette, ... sac de sport !

Tout est par terre !

Tu ranges .... affaires tout de suite.

Iannis :

— D'accord.

Mme Koutos :

— Et tu ranges aussi les affaires de .... sœur :

son peigne, ... brosse, ... parfum, ... photos,

.... cahiers, ... bandes dessinées, ... sac à dos.

Iannis :

— Ah non ! Ce ne sont pas .... affaires !

3

mon, ton, son, notre, votre, leur... (2)

- **Le possessif s'accorde avec le nom qui suit :**
  - en genre (**masculin / féminin**),
  - en nombre (**singulier / pluriel**).

  Ce soir, **mon** père et **ma** mère ne sont pas là. Je vais inviter **mes** copains et **mes** copines pour regarder un film d'horreur à la télé.

- Devant une **voyelle ou h** :
  - **ma** devient **mon**,
  - **ta** devient **ton**,
  - **sa** devient **son**.

  Tu viens aussi Iannis ? Leila sera là avec **son a**mie Justine...

- On fait la **liaison devant une voyelle** :

  mon ami   **mes** amis
    n   z

ACCORD DES POSSESSIFS

	singulier		pluriel
	masculin	féminin	masculin / féminin
je (moi)	**mon** père (**le** père) **mon a**mi n (**l'**ami)	**ma** mère (**la** mère) **mon a**mie n (**l'**amie)	**mes** parents (**les** parents) **mes a**mies z (**les** amies)
tu	**ton** jardin (**le** jardin) **ton** appartement n (**l'**appartement)	**ta** maison (**la** maison) **ton a**dresse n (**l'**adresse)	**tes** plantes (**les** plantes) **tes a**rbres z (**les** arbres)
il / elle	**son** chien (**le** chien) **son** oiseau n (**l'**oiseau)	**sa** souris (**la** souris) **son** étoile de mer n (**l'**étoile de mer)	**ses** chats (**les** chats) **ses a**nimaux z (**les** animaux)
nous	**notre** oncle (**l'**oncle)	**notre** cousine (**la** cousine)	**nos** enfants (**les** enfants)
vous	**votre** vélo (**le** vélo)	**votre** voiture (**la** voiture)	**vos** rollers (**les** rollers)
ils / elles	**leur** professeur (**le** professeur)	**leur** directrice (**la** directrice)	**leurs** élèves z (**les** élèves)

ET DANS VOTRE LANGUE ?

Est-ce que les possessifs sont différents au singulier et au pluriel ?

1. Complétez avec des possessifs.

Justine va au restaurant avec Iannis.

Elle met ça jupe noire, ... pull noir, ... chaussures noires.

Iannis met .... pantalon noir, ... chemise noire, ... chaussures noires.

La mère de Justine :

— Pourquoi ne mets-tu pas .... robe rouge et .... veste blanche ?

Justine :

— .... robe rouge ? .... veste blanche ? On ne va pas chez tante Hortense !

La mère de Justine :

— N'oublie pas .... manteau. Il fait froid.

Justine :

— Je mets .... blouson noir.

La mère de Justine :

— Pense à .... clefs, à .... parapluie et à .... carte de bus.

Justine :

— J'ai .... clefs et .... carte de bus. Mais je ne prends pas .... parapluie.

Je n'ai pas de sac.

2. Transformez les phrases en employant un possessif, selon le modèle.

1. Iannis et la sœur de Iannis vivent maintenant en France.

= Iannis et ça sœur vivent maintenant en France.

2. Iannis et la famille de Iannis habitent à Triel.

....

3. Les parents de Iannis ont un chat et un perroquet.

Le chat des parents de Iannis est mignon et le perroquet des parents de Iannis apprend le français.

....

....

4. Le père de Iannis aime raconter des histoires drôles aux copains de Iannis.

....

....

5. Iannis va au collège avec Justine et l'amie de Justine.

....

6. Les professeurs de Justine, Leila et Iannis sont sympathiques.

....

7. Demain, Iannis, les amis de Iannis et les amis des amis de Iannis vont tous ensemble à la piscine.

....

....

ce, cet, cette, ces

- On utilise le démonstratif (**ce**, **cet**, **cette**, **ces**) pour **attirer l'attention de l'autre**, pour lui **indiquer** quelque chose. Avec le démonstratif, on dit plus qu'avec l'article.

- Le démonstratif sert ainsi à **indiquer un moment de la journée** en cours.

Ce matin, je ne vais pas au collège. (= aujourd'hui matin)	≠ **Le matin**, je ne vais pas au collège. (= tous les matins, en général)
Cet après-midi, je vais à la piscine. (= aujourd'hui après-midi)	≠ **L'après-midi**, je fais mes devoirs. (= tous les après-midi, en général)
Ce soir, je vais au cinéma avec Marie. (= aujourd'hui soir)	≠ **Le soir**, je dîne à la maison. (= tous les soirs, en général)
Et **cette nuit**, je dors chez ma copine. (= à la fin de cette journée)	≠ Et **la nuit**, je dors. (= toutes les nuits, en général)

- **Le démonstratif s'accorde avec le nom qui suit :** – en genre (**masculin / féminin**),
  – et en nombre (**singulier / pluriel**).

LES DÉMONSTRATIFS

singulier		féminin	pluriel
masculin		**féminin**	**masculin / féminin**
devant une **consonne** : **ce** garçon (**le** garçon)	devant une **voyelle** ou **h muet** : **cet** homme (**l'**homme) t	**cette** femme (**la** femme)	**ces** filles et **ces** garçons (**les** filles) (**les** garçons) **ces** enfants (**les** enfants) z

ET DANS VOTRE LANGUE ?

Est-ce que le démonstratif sert à marquer la différence entre : – Le matin, je me lève à 7h30, et – Ce matin, je me lève tard ?

1. Complétez le dialogue avec ce, cette, cet ou ces.

Elsa et Fatou sont à une boum.

— Tu connais ce garçon ?

— Oui. C'est Iannis. Tu sais, ce jeune Grec.
Il est nouveau au collège. Il est en quatrième.

— Ah bon ! Et toi, tu connais .... deux filles ?

— Non.

Elsa et Fatou vont vers le buffet.

— Mmm ! Délicieuse, ... salade de riz.

— Il est bon .... gâteau, Fatou ?

— Pas mauvais !

— Écoute ! Tu connais .... chanson ? C'est génial ! Viens ! On va danser.

2. Faites une phrase avec un mot de chaque colonne. Commencez la phrase avec ce, cet, cette ou ces.

Ce	ami	danse	très lent
Cet	classe	s'appelle	très bien
Cette	ordinateur	parle	en Espagne
Ces	enfants	est	mes voisins
	homme	part	à l'opéra
	garçon	sont	très bruyante
	jeune fille	vont	Sami
	dames	est	grec, français et anglais

Cet ami part en Espagne.

....

....

....

....

....

....

3. Iannis reçoit une carte de son ami Nikos. Corrigez ses erreurs et expliquez oralement (dans votre langue ou dans un français simple) pourquoi ce sont des erreurs. Attention ! tout n'est pas faux.

Ce

....

....

....

....

....

....

....

Cher Iannis,

~~Ce~~ matin, notre professeur de français est malade. Je suis à la plage avec Giorgios. Il fait très chaud, alors l'après-midi, exceptionnellement, on n'a pas cours. Et ce soir, devine quoi, on va au concert unique de Björk. Belle journée, non !

Et toi, comment ça se passe en France ? Raconte-moi. Tu te lèves à quelle heure le matin ? Qu'est-ce que tu fais ce week-end en général ? Et l'après-midi, tu as cours jusqu'à quelle heure ? Et le soir, tu fais tes devoirs ou tu joues au foot ?

On se revoit cet été ? Écris-moi.

Nikos

grand / grande
beau / belle

- En général, pour former le féminin de l'adjectif qualificatif, on ajoute **-e** au masculin :

Iannis est grand.	Carla est grand**e**.
Iannis est brun.	Carla est brun**e**.

- Si l'adjectif masculin se termine par **-e**, il **ne change pas** au féminin :

Iannis est sympathiqu**e**.   Carla est sympathiqu**e**.

- Parfois, on **double la consonne finale** au féminin :

Iannis est mign**on**.	Carla est mign**onne**.
Luigi est ital**ien**.	Carla est ital**ienne**.

- Parfois la **syllabe finale change** au féminin :

-if → -ive	Iannis est sport**if**.	Carla est sport**ive**.
-er → -ère	Iannis est étrang**er**.	Carla est étrang**ère**.
-eux → -euse	Tony est curi**eux**.	Fatou est curi**euse**.
-eur → -euse	Tony est moqu**eur**.	Fatou est moqu**euse**.
-eau → -elle	Iannis est b**eau**.	Carla est b**elle**.
-ou → -olle	Iannis n'est pas f**ou**.	Carla n'est pas f**olle**.

- Certains adjectifs ont un féminin **irrégulier** :

vieux / vieille	sec / sèche	doux / douce
gentil / gentille	frais / fraîche	roux / rousse
long / longue	gros / grosse	turc / turque
blanc / blanche	faux / fausse	grec / grecque

ET DANS VOTRE LANGUE ?

- Est-ce que l'adjectif change au **féminin** ?
- Est-ce qu'il varie après le verbe **être** ?

1. Entourez l'adjectif correct.

Cet été, en vacances, dans un camp international / internationale, Léo a rencontré une fille turque / turc, un garçon espagnol / espagnole, un Irlandais blond / blonde et une Mexicaine rousse / roux, une fille beau / belle, douce / doux et gentille / gentil. Son moniteur était danois / danoise et sa monitrice égyptien / égyptienne. C'était super !

Dans l'avion, pour rentrer, il était entre une Anglais / Anglaise et une Allemande / Allemand. C'était génial !

2. Mettez une croix dans la bonne case. Attention ! Parfois, il y a deux solutions.

Qui dit...	Iannis	Leila
1. Je suis grec.	☒	☐
2. Je suis française.	☐	☐
3. Je suis sportive.	☐	☐
4. Je suis musicien.	☐	☐
5. Je suis ravi d'être ici.	☐	☐
6. Je suis heureuse, moi aussi.	☐	☐

À qui dit-il ou dit-elle...	Iannis	Leila
7. Tu es nouvelle ?	☐	☐
8. Tu es étranger ?	☐	☐
9. Tu es un peu timide ?	☐	☐
10. Tu es fantastique.	☐	☐
11. Tu es formidable.	☐	☐
12. Tu es moqueur.	☐	☐

3. Complétez le portrait de Iannis et de Leila.

Iannis est :
1. grand
2. brun
3. bouclé
4. jeune
5. mince
6. souriant

Il a :
7. un short blanc.
8. un polo ....
9. un sac ....
10. une raquette ....
    et ....
11. un pull ....

Leila est :
grande
....
....
....
....
....

Elle a :
une robe ....
une casquette ....
une serviette ....
et ....
une raquette ....
et ....
un pull ....

- En général, pour former le **pluriel des adjectifs**, on ajoute **-s au singulier** :

Iannis est grec.	Iannis et Nikos sont grec**s**.
Carla est brune.	Carla et Leila sont brune**s**.
Iannis est intelligent.	Iannis et Carla sont intelligent**s**.
	masculin + féminin = masculin pluriel

- Les adjectifs masculins qui se terminent par **-s** ou par **-x** ne changent pas au pluriel :

Tchang est chinoi**s**.	Tchang et Li sont chinoi**s**.
Iannis est amoureu**x**.	Justine et Iannis sont amoureu**x**.
	féminin + masculin = masculin pluriel

  MAIS Justine est amoureu**se**. Leila et Justine sont amoureu**ses**.

- Les adjectifs masculins qui se terminent par **-al** ont un pluriel en **-aux** :

Iannis est géni**al**.	Iannis et Carla sont géni**aux**.
	masculin + féminin = masculin pluriel

  MAIS Carla est géni**ale**. Carla et Sarah sont géni**ales**.

- Les adjectifs masculins qui se terminent par **-eau** ont un pluriel en **-eaux** :

Iannis est b**eau**.	Iannis et Carla sont b**eaux**.
	masculin + féminin = masculin pluriel

  MAIS Carla est b**elle**. Carla et Sarah sont b**elles**.

ET DANS VOTRE LANGUE ?
- Est-ce que l'adjectif varie au pluriel ?
- Est-ce qu'il varie après le verbe *être* ?

1. Mettez une croix dans la bonne case.
Attention! Parfois, il y a deux ou trois solutions.

Qui dit…	Iannis et Léo	Leila et Justine	Sarah et Farid
1. Nous sommes grands.	☒	☐	☒
2. Nous sommes sportifs.	☐	☐	☐
3. Nous sommes musiciennes.	☐	☐	☐
4. Nous sommes ravies d'être ici.	☐	☐	☐
5. Nous sommes heureux, nous aussi.	☐	☐	☐
6. Nous sommes parfois un peu folles.	☐	☐	☐
7. Nous ne sommes pas vieilles.	☐	☐	☐

À qui dit-on…

	Iannis et Léo	Leila et Justine	Sarah et Farid
8. Vous êtes nouvelles.	☐	☐	☐
9. Vous êtes fantastiques.	☐	☐	☐
10. Vous êtes formidables.	☐	☐	☐
11. Vous êtes intelligentes.	☐	☐	☐
12. Vous êtes gentils.	☐	☐	☐
13. Vous êtes joyeuses.	☐	☐	☐
14. Vous n'êtes pas vieux.	☐	☐	☐
15. Vous êtes géniaux.	☐	☐	☐
16. Vous êtes géniales.	☐	☐	☐

2. Trouvez une publicité pour ces deux ou quatre roues.
Utilisez trois adjectifs singuliers ou pluriels selon le modèle.

1. Elle est petite, mignonne et confortable.

2. Elles sont ....
....
....

3. Ils sont ....
....
....

4. Ils sont ....
....

5. Elle est ....
....

Voici une liste d'adjectifs pour vous aider. Mais vous pouvez en trouver d'autres.

● argenté ● doré ● brillant ● noir
● rouge ● beau ● superbe ●
magnifique ● indémodable ●
original ● génial ● robuste ●
pratique ● rapide ● écologique ●
cher ● pas cher ●

3

un bel appartement dans un quartier agréable

De   philgauthier@gratoos.com
A   ianniskou@gratoos.com

Salut Iannis,
Juste **un petit mot** et une photo de **mon nouvel appartement**.
J'habite maintenant à Spartes, dans **un joli quartier, très agréable**,
dans **un bel immeuble moderne**. C'est dans **une petite rue calme**,
à côté d'**un grand parc** entouré de **grands arbres**. Pas loin, il y a **une belle
salle de sports** et **une piscine énorme**. Je suis très content.
J'espère te voir cet été.

Philippe, **ton vieil ami français** de Grèce.

- Le plus souvent, l'**adjectif** se place **après le nom** :

  un quartier agréable – une rue calme

- Mais certains adjectifs sont, en général, avant le nom comme :

beau – joli	une belle maison – un joli jardin
bon / mauvais	un bon gâteau – un mauvais vin
jeune – nouveau / vieux	un nouveau professeur – un vieux copain
grand – gros / petit	un grand bateau – une grosse voiture – un petit cadeau

  ATTENTION !
  Devant un nom masculin commençant par une voyelle ou h muet :
  beau → bel   un bel immeuble
  nouveau → nouvel   un nouvel appartement
  vieux → vieil   un vieil ami

- L'**adjectif de nationalité** se place toujours **après le nom** :

  un ami français – un plat grec

→ féminin des noms, p. 52

  ATTENTION !
  L'adjectif ne prend **pas de majuscule** :
  Il est italien. / Elle est italienne. – Il est grec. / Elle est grecque.

  mais le nom des habitants d'un pays prend une majuscule :
  un Italien / une Italienne – un Grec / une Grecque

ET DANS VOTRE LANGUE ?
Où place-t-on l'adjectif en général ?
Avant ou après le nom ?

CARACTÉRISER QUELQU'UN / QUELQUE CHOSE

..1.. **Mettez dans l'ordre.**

1. quartier ● habite ● Philippe ● dans ● beau ● un

Philippe habite dans un beau quartier.

2. des ● a ● français ● il ● amis ● grecs ● et

....

3. ce ● bons ● de ● sont ● amis

....

4. Il connaît Iannis. ● c' ● un ● est ● copain ● vieux

....

5. Iannis est grec. ● il ● Méditerranée ● dans ● habite ● un ● village ● petit ● près de ● la mer

....

6. Il habite à Triel. ● est ● une ● ville ● petite ● c' ● près de ● Paris

....

7. ne ● il ● Justine ● nouvelles ● amies ● connaît ● pas ● de ● les

....

8. sont ● sympathiques ● ce ● des ● filles ● jeunes

....

9. Iannis ● frère ● a ● jeune ● un ● et ● une ● sœur ● grand

....

..2.. **Faites des phrases selon le modèle.**
Attention à la place des adjectifs.

1. Iannis	garçon [beau]	cheveux [bouclés]
2. Fatou	fille [noire / jolie]	yeux [brillants]
3. Sarah	fille [grande / sympathique]	cheveux [blonds]
4. Tony	homme [jeune / asiatique]	bouche [grande / souriante]
5. Léo	garçon [intelligent / petit]	sourire [moqueur]
6. Tante Hortense	dame [vieille / sévère]	yeux [bleus]
7. Laure	fille [sérieuse / jeune]	lunettes [rouges]
8. M. Koutos	monsieur [sympathique]	moustache [épaisse]

1. Iannis est un beau garçon avec des cheveux bouclés.

2. ....

3. ....

4. ....

5. ....

6. ....

7. ....

8. ....

3

Architecte, avocate ou comédienne ?

- En général, pour former le **féminin des noms**, on ajoute **-e** au nom masculin :

  Pierre est un ami.   Anne est une ami**e**.

- Si le nom masculin se termine par **-e**, il **ne change pas** au féminin :

  Son père est journalist**e**.   Sa mère est journalist**e** aussi.

- Parfois, on **double la consonne finale** au féminin :

  Son oncle est pharmac**ien**.   Sa tante est pharmac**ienne** aussi.

- Parfois la **syllabe finale change** au féminin :

  -er → -ère   le boulang**er**   la boulang**ère**

  -eur → -euse   un chant**eur**   une chant**euse**

  -teur → -trice   un traduc**teur**   une traduc**trice**

  > **ATTENTION !**
  > Certains noms n'ont pas encore de féminin officiel en France :
  > médecin – écrivain – professeur – ingénieur...

- Les **noms de pays** terminés par **-e** sont **féminins** :

  La Franc**e**, **la** Belgiqu**e**, **la** Suiss**e**, **la** Côt**e**-d'Ivoire sont des pays francophones.

  Exceptions : le Cambodge, le Mexique, le Mozambique, le Zaïre.

- En général, les noms de pays qui **ne se terminent pas** par **-e** sont **masculins** :

  Le Canad**a**, **le** Sénég**al**, **le** Vietn**am** sont aussi des pays francophones.

> **ET DANS VOTRE LANGUE ?**
> Est-ce qu'on met un article (le, la, les) devant le nom d'un pays ?

1. Masculin ou féminin? Cochez la bonne réponse.
Attention! les deux solutions sont parfois possibles.

	masculin	féminin			masculin	féminin
1. architecte	☒	☒	9. serveur		☐	☐
2. danseuse	☐	☐	10. boulangère		☐	☐
3. médecin	☐	☐	11. journaliste		☐	☐
4. acteur	☐	☐	12. étudiante		☐	☐
5. pharmacienne	☐	☐	13. présidente		☐	☐
6. musicien	☐	☐	14. libraire		☐	☐
7. vendeuse	☐	☐	15. avocate		☐	☐
8. touriste	☐	☐	16. écrivain		☐	☐

2. Complétez les colonnes.

Pays	Habitant (homme)	Habitante (femme)
1. la Pologne	un Polonais	une Polonaise
2. .... Portugal	un Portugais	....
3. .... Chine	....	une Chinoise
4. .... Maroc	un Marocain	....
5. .... Japon	....	....
6. .... Belgique	un Belge	....
7. .... Bolivie	un Bolivien	....
8. .... Grèce	....	....
9. .... Russie	....	une Russe
10. .... Canada	....	une Canadienne
11. .... Québec	un Québécois	....
12. .... Espagne	....	une Espagnole
13. .... Italie	....	....

3. Mettez au féminin.

Dans mon immeuble, il y a un traducteur coréen, un journaliste suédois, un écrivain suisse, un directeur financier belge, un masseur californien, un chanteur zaïrois, un boulanger portugais, un ingénieur espagnol, un étudiant grec, un artiste turc, un danseur américain et un professeur français. Paris est vraiment une ville cosmopolite.

Dans mon immeuble, il y a une traductrice coréenne, ...
....
....
....
....

3 Mesdames, mesdemoiselles, messieurs...

... jeunes filles et jeunes gens d'ici ou de pays étrangers, deux grands chapiteaux vous attendent place Monge. Venez découvrir des produits naturels, biologiques de différentes régions françaises...

- En général, pour former le **pluriel des noms**, on ajoute **-s** au nom singulier.

  un produit naturel   des produits naturels

- Les noms terminés par **-s**, par **-x** ou par **z ne changent pas** au pluriel :

  un pays étranger   des pays étrangers
  une voix forte   des voix fortes
  un long nez   de longs nez

- En général, les noms terminés par **-au**, **-eau** ou par **-eu**, prennent **x** au pluriel :

  un tuyau   des tuyaux
  un château   des châteaux
  un cheveu   des cheveux

- En général, les noms terminés par **-al** se terminent par **-aux** au pluriel :

  un animal   des animaux

  ATTENTION !

  Certains noms ont un pluriel irrégulier :

un travail	des travaux		monsieur	messieurs
un ciel	des cieux		madame	mesdames
un œil	des yeux		mademoiselle	mesdemoiselles
un jeune homme	des jeunes gens	MAIS	une jeune fille	des jeunes filles

  ET DANS VOTRE LANGUE ?
  - Est-ce que les noms changent au pluriel ?
  - Est-ce qu'il y a des pluriels irréguliers ?

.1. **Singulier ou pluriel? Cochez la bonne réponse.**
Attention! les deux solutions sont parfois possibles.

	singulier	pluriel			singulier	pluriel
1. pays	☒	☒	**8.** voix	☐	☐
2. gâteaux	☐	☐	**9.** cadeau	☐	☐
3. journal	☐	☐	**10.** mesdames	☐	☐
4. cheveu	☐	☐	**11.** travail	☐	☐
5. chevaux	☐	☐	**12.** yeux	☐	☐
6. bras	☐	☐	**13.** dos	☐	☐
7. jambes	☐	☐	**14.** jeunes gens	☐	☐

.2. **Regardez le dessin page 54 et décrivez la place.**
Combien de touristes? Combien d'enfants? Combien de magasins ? etc.

magasin ● restaurant ● boucherie ● boulangerie ● épicerie
journal ● gâteau ● enfant ● maman ● vélo ● étudiant
crêpe ● client ● jeune homme ● jeune fille ● fleur ● café ● table
chaise ● verre ● serveur ● touriste ● animal ● chien ● chat ● oiseau
trottoir ● légume ● fruit ● pomme

Ajoutez d'autres noms, au singulier ou au pluriel, si vous voulez.

Sur la place, il y a des magasins : deux ....
....
....
....
....
....

.3. **Décrivez une place ou une rue dans votre ville ou dans votre village.**
Utilisez des noms et des adjectifs au singulier et au pluriel.

Sur la place de ma ville (dans mon village), il y a ....
....
....

Au centre, il y a ....
....
....

Autour de la place, il y a ....
....
....

Les verbes pronominaux en -er

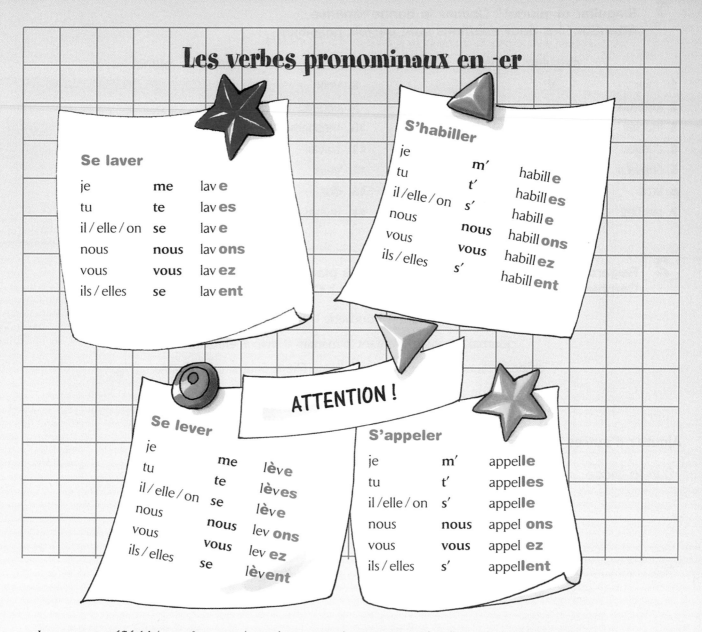

Se laver

je	me	lav **e**
tu	te	lav **es**
il / elle / on	se	lav **e**
nous	nous	lav **ons**
vous	vous	lav **ez**
ils / elles	se	lav **ent**

S'habiller

je	m'	habill **e**
tu	t'	habill **es**
il / elle / on	s'	habill **e**
nous	nous	habill **ons**
vous	vous	habill **ez**
ils / elles	s'	habill **ent**

ATTENTION !

Se lever

je	me	l**è**ve
tu	te	l**è**ves
il / elle / on	se	l**è**ve
nous	nous	lev **ons**
vous	vous	lev **ez**
ils / elles	se	l**è**vent

S'appeler

je	m'	appel**le**
tu	t'	appel**les**
il / elle / on	s'	appel**le**
nous	nous	appel **ons**
vous	vous	appel **ez**
ils / elles	s'	appel**lent**

- Le pronom réfléchi (**me**, **te**, **se**...) se place **entre** le **pronom sujet** (**je**, **tu**, **il**...) et le **verbe**.

- Devant une **voyelle ou h**, **me**, **te**, **se** deviennent **m'**, **t'**, **s'**.

ATTENTION !

- Les verbes en **-e + consonne + -er**, comme (se) le_v_er, ache_t_er, (se) prome_n_er...
et les verbes en **-é + consonne + -er**, comme espé_r_er, répé_t_er...
prennent généralement un accent grave (**è**) devant les terminaisons **-e, -es, -ent** ([e] = e muet).
Je me l**è**ve tard le dimanche.
Ils se prom**è**nent sur l'île Saint-Louis.

- Appe_l_er, épe_l_er doublent le l (**ll**) devant les terminaisons **-e, -es, -ent** ([e] = e muet).
Il s'appe**lle** Krystof Markowsky.
Tu épe**lles** son nom ?

→ liste des verbes p. 118

- Dans la **négation** :
– **ne** se place **entre** le pronom sujet (**je**) et le pronom réfléchi (**me**) ;
– **pas** se place **après** le verbe.
Tu **ne** te couches **pas** tard le dimanche.

1 Conjuguez les verbes au présent selon les modèles.

S'appeler Leila	Se réveiller à 7 h	Se lever à 7 h 30
Je m'appelle Leila. Vous	Nous .... Tu	On .... Elles ....
Se laver	**Se brosser les dents**	**Se maquiller un peu**
Elle .... Vous	On .... Tu	Tu .... Nous ....
Ne pas s'appeler Yannick	**Ne pas se lever à 6 h**	**Ne pas se coucher tard**
Tu ne t'appelles pas Yannick. Elle	Je .... Vous	Je .... On ....
Ne pas s'habiller rapidement	**Ne pas s'énerver**	**Ne pas se presser le matin**
Nous .... Tu	Tu .... Je	Vous .... Nous ....
Ne pas se regarder dans la glace	**Ne pas se brosser les cheveux**	**Être calme**
Elle .... Tu	Tu .... Nous	Vous .... On ....

.1. **Lisez le texte suivant et entourez les adjectifs, puis classez-les.**

Quittez la ville polluée le dimanche.

Venez avec nous respirer l'air pur
dans la forêt de Fontainebleau.

Nous vous proposons des excursions faciles.
À travers une forêt magnifique à 40 minutes de Paris.
Vous marchez entre des chênes royaux,
des sapins majestueux…
Sur les petits chemins, entre les hautes fougères,
vous dégustez des fruits sauvages :
petites fraises des bois, mûres délicieuses,
framboises exquises…

Vous pique-niquez en groupe
le long de ruisseaux d'eau claire
ou à l'ombre d'un marronnier centenaire
en admirant un paysage extraordinaire.
Un repas froid, copieux et équilibré est fourni.

Venez nombreux et joyeux.
Nous vous attendons.

Participation : 75 F. Transport compris.

Rendez-vous place d'Italie,
devant le centre commercial.

www.nature-et-balade.fr

ADJECTIFS

Masculin singulier	Masculin pluriel	Féminin singulier	Féminin pluriel

2 Lisez le texte de l'affiche.
Entourez les adjectifs et dites s'ils sont **masculin** ou **féminin**.

Ton scooter est japonais.

Ta pizza est italienne.

Et ton couscous algérien.

Ta démocratie est grecque.

Ton café est brésilien.

Ta montre est suisse.

Ta chemise est hawaïenne.

Ton baladeur est coréen.

Tes vacances sont turques,
tunisiennes ou marocaines.

Tes chiffres sont arabes.

Ton écriture est latine.

Et... tu reproches à ton voisin
d'être un étranger !

masculin

....

....

....

....

....

....

....

....

....

....

....

Et mon bermuda vient
des Bermudes !!

3 Complétez le texte avec des adjectifs de nationalité.
Mettez les adjectifs au masculin ou au féminin selon le cas.

Ta moto est *japonaise*.

Tes pâtes sont ....

Ta paella est ....

Ton thé est ....

Ta voiture est ....

Ton parfum est ....

Ton île préférée est ....

Ton alphabet est ....

4 Continuez. Inventez 4 phrases sur le même modèle.

Ton / Ta / Tes ....

Ton / Ta / Tes ....

Ton / Ta / Tes ....

Ton / Ta / Tes ....

4 beaucoup de..., trop de... un kilo de..., une boîte de...

Alors... Nous avons pour la salade de riz
2 boîtes de **thon**, 1 paquet de **riz**,
1 petit bocal d'**olives noires**,
1 kilo de **tomates**, 1 livre de **poivrons**, ensuite
2 douzaines d'**œufs**,
20 canettes de **Coca**, 3 briques de **jus de pomme**, 4 grandes bouteilles d'**eau**,
3 sachets de **bonbons** et...

Attends Fred, il y a trop de canettes de Coca et trop de bonbons mais il n'y a pas assez de riz et pas assez d'olives. Il y a aussi beaucoup d'œufs, tu ne trouves pas ?

Avancez, s'il vous plaît. Merci.

quantité vague

• Pour **indiquer** la quantité, on utilise un **adverbe d'intensité** suivi de **de** ou de **d'** (devant une voyelle ou h).

Dans cette salade de riz il y a :
trop de riz
beaucoup de riz
assez de riz
pas assez de riz
ou **trop peu de** riz

ATTENTION !

 • **Un peu de** est **positif**:
J'ai **un peu de** riz à la maison (= assez pour...) → je peux faire une salade de riz.

 • **Peu de** est **négatif**:
J'ai **peu de** riz à la maison (= pas assez pour...) → je ne peux pas faire de salade de riz.

quantité précise

• Pour **mesurer** une quantité, on utilise un **nom** suivi de **de** ou de **d'** (devant une voyelle ou h).

une canette de Coca

un paquet de riz

1 kg (kilo) de viande

une bouteille d'huile

2 tranches de pain

ET DANS VOTRE LANGUE ?
• Comment indique-t-on la quantité ?
• Est-ce qu'on fait suivre l'adverbe (beaucoup, trop...) ou le nom (un paquet, une bouteille...) d'un petit mot comme de ?

1. **Reliez A et B puis C et D.**

A	B	C	D
1. un paquet de	**a.** chocolat aux noisettes	**1.** une boîte de	**a.** sucre
2. une tablette de	**b.** jus d'orange	**2.** une part de	**b.** thon
3. un pot de	**c.** thé	**3.** une tranche de	**c.** eau
4. une tasse de	**d.** fleurs	**4.** deux morceaux de	**d.** lait
5. un verre de	**e.** farine	**5.** un bol de	**e.** tarte
6. un bouquet de	**f.** œufs	**6.** un litre d'	**f.** olives
7. une douzaine d'	**g.** yaourt	**7.** un bocal d'	**g.** jambon

2. **Dites ce que vous buvez et mangez au petit déjeuner dans votre pays.**
Utilisez : un bol de, une tasse de, un verre de, une (deux...) tranche(s) de, etc.

....

....

....

....

3. **Regardez les dessins suivants. Commentez.**
Utilisez les adverbes de quantité : trop de / d', beaucoup de / d',
assez de / d', pas assez de / d'.

1. Dans ce vase, il y a trop d'eau.

2. Dans ce vase , il ....

3. ....

4. ....

du, de la, des

- On utilise l'**article partitif** (**du**, **de la**, **de l'**, **des**) pour désigner une **quantité** :

  – qu'**on ne peut pas compter** exactement,

  Il y a **du** pain, **de l'**eau, **de la** confiture et **des** bonbons.

  – ou qu'**on ne veut pas compter**,

  Il y a **des** fruits. (= Je ne sais pas combien. Je ne veux pas les compter.)

- **Du**, **de la**, **de l'** désignent **une partie de** quelque chose.

  Qui veut **du** saucisson ? (= une partie de ce saucisson)

  Moi, je voudrais **de la** tarte. (= une part de cette tarte)

  Et moi, **de l'**eau, s'il vous plaît ! (= un peu de cette eau)

PARTITIF		ARTICLE INDÉFINI		→ p. 28
du	= de + le (masc. sing.) **du** pain (**le** pain)	**un**	= masc. singulier **un** pain (1)	
de la	= de + la (fém. sing.) **de la** tarte (**la** tarte)	**une**	= fém. singulier **une** tarte (1)	
de l'	= de + l' (masc./fém. sing., devant voyelle ou h) **de l'**eau (**l'**eau)			
des	= de + les (masc./fém. pluriel) **des** pâtes (**les** pâtes)	**des**	= pluriel de un **des** bonbons (plusieurs)	

ATTENTION !

À la boulangerie : Je voudrais **un** gâteau au chocolat, s'il vous plaît.
(= Je voudrais **un** gâteau **entier**.)
À la maison : Qui veut encore **du** gâteau ?
(= Qui veut encore **une part de** gâteau ?)

ET DANS VOTRE LANGUE ?
- Comment exprime-t-on une quantité imprécise ?
- Comment dites-vous : « Je voudrais du poulet et un Coca, s'il vous plaît. » ?

..1.. **Complétez avec du, de la, de l', des, puis écrivez la phrase.**

J'aime	Je mange / Je bois	
1. les frites	des frites	J'aime les frites. Je mange des frites.
2. le lait	...... lait	....
3. la confiture	...... confiture	....
4. l'eau	...... eau	....
5. le fromage	...... fromage	....
6. les fruits	...... fruits	....
7. la glace	...... glace	....

..2.. **Lisez le menu de la cantine. Dites ce qu'il y a chaque jour.**

CANTINE DU COLLÈGE PAUL-VERLAINE MENU DU 13 AU 17 AVRIL					
	LUNDI	MARDI	MERCREDI	JEUDI	VENDREDI
ENTRÉE					
PLAT PRINCIPAL					
FRUIT					
DESSERT					

À la cantine du collège Paul-Verlaine, les élèves mangent :

– le lundi 13 avril, de la salade de tomates, du steak haché, de la purée, une pomme et de la crème caramel.

– le mardi 14 avril, ...

– le mercredi 15 avril, ...

– le jeudi 16 avril, ...

– le vendredi 17 avril, ...

du, de la, des   un, une, des
le, la, l', les

Qui veut de l'eau ?

Moi ! Je n'aime pas le Coca.

Qui veut un Coca ?

Du soleil... pas de nuages... un petit vent délicieux... le rêve.

Oui, mais nous sommes ici pour faire de la marche.

Nous, on adore le Coca.

ARTICLE PARTITIF	ARTICLE INDÉFINI	ARTICLE DÉFINI
On ne peut (veut) pas compter :	On peut (on veut) compter :	On parle en général :
Je bois **du** Coca.	J'achète **un** Coca. (= 1)	J'aime **le** Coca.
Je mange **de la** glace.	J'achète **une** glace. (= 1)	J'aime **la** glace.
Je mange **des** bonbons.		J'adore **les** bonbons.

→ pp. 26 et 28

ATTENTION !

Avec un **adjectif qualificatif**, on n'emploie pas le partitif. On emploie l'**article indéfini**.

| Il y a **du** vent. | **MAIS** | Il y a **un** petit vent délicieux. |
| Il y a **du** gâteau au chocolat ce soir. | **MAIS** | Il y a **un** superbe gâteau au chocolat sur la table. |

Positif ☺	Négatif ☹	
Il y a **du** soleil.	Il n'y a **pas de** soleil.	→ p. 34
J'achète **de la** glace.	Je n'achète **pas de** glace.	
Je bois **de l'**eau.	Je ne bois **pas d'**eau.	
Et je mange **des** fruits.	Et je ne mange **pas de** fruits.	
J'ai **un** sandwich.	Je n'ai **pas de** sandwich.	→ p. 34
J'ai **une** orange.	Je n'ai **pas d'**orange.	
Je mange **des** bonbons.	Je n'ai **pas de** bonbons.	
J'aime **le** jambon.	Je n'aime **pas le** saucisson.	→ p. 34
J'aime **la** salade.	Je n'aime **pas la** viande.	
J'aime **l'**eau.	Je n'aime **pas l'**alcool.	
J'aime **les** bonbons.	Je n'aime **pas les** haricots verts.	

ET DANS VOTRE LANGUE ?

Est-ce qu'il y a aussi une différence dans l'emploi de tous ces articles ?

..1.. **Reliez A et B pour découvrir la petite histoire.**
Attention ! Parfois deux réponses sont possibles.

<table>
<tr><td>A</td><td>B</td></tr>
<tr><td>1. Laure et Justine aiment</td><td>a. un grand soleil.</td></tr>
<tr><td>2. mais Sarah et Leila préfèrent</td><td>b. des fruits.</td></tr>
<tr><td>3. Elles n'aiment pas</td><td>c. de vent.</td></tr>
<tr><td>4. Marek et Krystina partagent</td><td>d. de gâteau.</td></tr>
<tr><td>5. Les adultes n'ont pas</td><td>e. un gros gâteau au chocolat avec les ados du groupe.</td></tr>
<tr><td>6. En dessert, ils ont</td><td>f. le jus de pomme.</td></tr>
<tr><td>7. Chacun a</td><td>g. le Coca.</td></tr>
<tr><td>8. Tous sont contents : il y a</td><td>h. une pomme ou une orange.</td></tr>
<tr><td>9. mais il n'y a pas</td><td>i. le Coca.</td></tr>
</table>

..2.. **Complétez avec l'article défini (le, la, les, l') ou avec l'article partitif (du, de la, des ou de, d').**

M. Markovsky, le père de Marek et de Krystina, est au régime.
Il aime beaucoup de choses mais il ne peut pas tout manger.

M. Markovsky aime :	**Ça tombe bien, il peut manger :**	**Mais malheureusement il ne peut pas manger :**
le poulet et les frites	du poulet	de frites
– .... biscottes et .... pain	.... biscottes	.... pain
– .... haricots verts et .... purée de pommes de terre	.... haricots verts	.... purée de pommes de terre
– .... salade verte et .... pâtes	.... salade verte	.... pâtes
– .... fromage blanc et .... crème fraîche épaisse	.... fromage blanc	.... crème fraîche épaisse
– .... yaourt maigre et .... mousse au chocolat	.... yaourt maigre	.... mousse au chocolat
– .... pommes et .... bananes	.... pommes	.... bananes
– .... œufs à la coque et .... omelette	.... œufs à la coque	.... omelette
– .... jambon et .... saucisson	.... jambon	.... saucisson

un peu, beaucoup, trop

D'accord, je suis très gourmand, je mange beaucoup, je suis peu sportif mais je ne suis pas trop gros. Je suis un peu enveloppé. C'est tout.

Et tu es tellement gentil !

Tu veux ma tablette de chocolat, Krystyna ?

• Après un verbe, on utilise :

→ avant un nom, p. 60

trop	(M. Markovski sur sa balance)	Je mange **trop** en France ! J'ai pris 3 kilos en 15 jours.
beaucoup	(Krystof Markovski à son père)	Je mange **beaucoup** mais c'est normal : je suis grand et je fais beaucoup de sport.
assez	(Mme Markovski au pique-nique)	Non, merci, pas de gâteau pour moi. C'est **assez** pour moi.
un peu	(M. Markovski au pique-nique)	Je veux bien une part de gâteau. J'ai encore **un peu** faim.
peu	(Krystyna au restaurant)	Je ne prends pas d'entrée, pas de dessert. Je mange **peu**.

• Devant un adjectif, on utilise :

trop	(un père à son fils de 8 ans)	Tu es **trop** jeune pour avoir de l'argent de poche.
très	(Léo, 12 ans, 1,60 m)	Je suis **très** grand pour mon âge.
assez	(Alex copiant un tableau de Picasso)	Je suis **assez** content de mon dessin.
un peu	(Obélix à Astérix)	Je ne suis pas gros. Je suis **un peu** « enveloppé » c'est tout !
peu	(Mme Marty à la terrasse d'un café)	Ce garçon est **peu** aimable.

ATTENTION !

Je mange **beaucoup**.   **MAIS**   Je suis **très** gourmand.
verbe   adjectif

ET DANS VOTRE LANGUE ?

• Comment dit-on :
– J'aime beaucoup les gâteaux,
– Ces gâteaux sont très bons ?
• Est-ce qu'on utilise un adverbe différent devant l'adjectif et après le verbe ?

1. Reliez A et B.

A	B
1. Encore une part de gâteau ?	**a.** Oui, je suis très gourmand.
2. Moi, j'ai encore un peu faim,	**b.** Oui, je suis au régime.
3. Vous aimez manger ?	**c.** Oui, je me sens trop grosse.
4. Et toi, tu manges peu en ce moment !	**d.** Tu es très mince.
5. Au régime ?	**e.** Non merci. J'ai assez mangé.
6. Quelle idée !	**f.** j'aimerais une autre part de gâteau.

2. Complétez la phrase avec un adverbe d'intensité :
très, assez, trop, un peu, tellement, peu.

1. Krystyna : Ce gâteau est bon.   Krystof : Il est même **très** bon.

2. Krystyna : Cette marche en forêt est un peu longue.   Krystof : Non. Je ne trouve pas. Pour moi, elle est .... courte.

3. Krystyna : J'aime cet hôtel : il est très confortable.   Krystof : Oui, mais les chambres ne sont pas .... grandes.

4. Krystyna : Stéphane est .... mignon !   Krystof : Oui, mais il est .... vieux pour toi.

5. Krystyna : Tu es vraiment .... aimable.   Krystof : Et toi tu es .... bavarde.

3. Barrez l'adverbe de quantité (un peu de, beaucoup de, trop de...) ou l'adverbe d'intensité (un peu, beaucoup, trop...) qui ne convient pas.   → p. 60

1. Tu achètes trop de / ~~trop~~ sucreries.   Tu es ~~trop de~~ / trop gourmand.

2. Tu parles très / trop.   Tu es trop de / trop bavard.

3. Tu es peu de / peu sportif.   Tu ne fais pas assez de / assez marche.

4. Oui mais j'achète aussi beaucoup de / beaucoup livres.   Je lis beaucoup / très.

5. Je suis très / beaucoup gentil.   J'ai beaucoup d' / beaucoup amis.

4. Cochez, dans la colonne B, la fin de phrase qui convient.

A	B
1. Je suis un peu fatigué,	☒ je vais me coucher. ☐ je ne vais pas me coucher.
2. Ce voyage est trop dangereux pour toi.	☐ Tu peux partir. ☐ Tu ne peux pas partir.
3. Tu ne travailles pas assez au collège.	☐ Tu vas avoir de bonnes notes. ☐ Tu vas avoir de mauvaises notes.
4. Ce film est très intéressant.	☐ On va le voir ? ☐ On ne va pas le voir.
5. Tu parles peu à Krystyna.	☐ Tu la trouves sympa ? ☐ Tu ne la trouves pas sympa ?

un, deux, trois, cent, mille... (1)

Alors, c'est d'accord, on continue la balade à Paris ?

Oui, on se retrouve chez moi dans deux heures, dans le onzième arrondissement.

Où exactement ?

59, rue du faubourg Saint-Antoine, troisième étage, porte gauche.

On peut avoir votre numéro de téléphone ? On ne sait jamais !

Oui, bien sûr. Je vous donne mon numéro de portable : 06 81 96 30 11.

les adjectifs cardinaux

1 un	11 onze	21 vingt **et** un	41 quarante **et** un	80 quatre-vingt**s**
2 deux	12 douze	22 vingt-deux	42 quarante-deux	81 quatre-vingt-un
3 trois	13 treize	23 vingt-trois	[...]	82 quatre-vingt-deux
4 quatre	14 quatorze	[...]	50 cinquante	83 quatre-vingt-trois
5 cinq	15 quinze	30 trente	60 soixante	[...]
6 six	16 seize	31 trente **et** un	70 soixante-dix	90 quatre-vingt-dix
7 sept	17 dix-sept	32 trente-deux	71 soixante **et** onze	91 quatre-vingt-onze
8 huit	18 dix-huit	33 trente-trois	72 soixante-douze	92 quatre-vingt-douze
9 neuf	19 dix-neuf	[...]	73 soixante-treize	[...]
10 dix	20 vingt	40 quarante	[...]	

100 cent	200 deux cent**s**	1000 mille	1 000 000 **un** million
101 cent un	201 deux cent un	2000 deux mille	1 000 000 000 **un** milliard
102 cent deux	202 deux cent deux	3000 trois mille	
[...]	[...]	[...]	
110 cent dix	210 deux cent dix		
120 cent vingt	220 deux cent vingt		
[...]	[...]		

.1. Écrivez les numéros de téléphone en toutes lettres.

Stéphane a oublié de donner le code de son immeuble. Il faut prévenir tout le monde. Il téléphone à Krystof et lui demande d'appeler les autres.

Fatou 06 56 17 98 27
Justine 06 49 18 71 92
Sarah 01 55 42 17 76
Ianis 01 39 26 21 81

....

....

....

....

....

....

....

.2. Mettez-vous par deux. Demandez (oralement) à votre voisin combien coûte un des plats de la carte. Il vous donne (oralement) le prix.

Après la balade dans le quartier de la Bastille, le petit groupe va manger au restaurant. Ils s'installent à une terrasse près de la Seine et consultent la carte.

Carte

Plats

Steak-frites	9 €
Plat du jour	7 €
Hamburger	5,5 €

Fromage

Assiette de fromages	7,50 €

Entrées

Assiette de charcuterie	8 €
Salade composée	7 €
Croque-monsieur	5 €
Quiche	5,60 €

Desserts

Tarte aux pommes	3,50 €
Mousse au chocolat	3,50 €
Fromage blanc	2,75 €
Glace (2 parfums)	3 €

Une salade composée coûte sept euros.

.3. Stéphane fait un chèque global de cent sept euros.
Écrivez le montant de l'addition en toutes lettres sur le chèque.

Montant du chèque : ....

un, deux, trois, cent, mille... (2)

les adjectifs cardinaux (suite)

- De **17** à **99**, on met **un tiret** (-) entre les différents chiffres, sauf si on met **et**.

  17 : dix-sept ; 19 : dix-neuf **MAIS** 21 : vingt **et** un (pas de tiret)

21 : vingt **et** un	51 : cinquante **et** un	71 : soixante **et** onze
31 : trente **et** un	61 : soixante **et** un	**MAIS** 91 quatre-vingt-onze
41 : quarante **et** un	**MAIS** 81 : quatre-vingt-un	

- **Vingt** et **cent** (**20** et **100**) prennent un **s** s'ils sont multipliés et ne sont pas suivis d'un autre nombre.

80 : quatre-vingt**s**	**MAIS** 82 : quatre-vingt-deux
200 : deux cent**s**	**MAIS** 201 : deux cent un
300 : trois cent**s**	**MAIS** 310 : trois cent dix

- **Mille** ne prend jamais de **s**.

  2000 : deux mille
  2002 : deux mille deux

les adjectifs ordinaux

- Pour **classer**, on ajoute **-ième** au nombre :   2 = deux → deux**ième** = 2^e

  3 = trois → trois**ième**   = 3^e

> **ATTENTION !**
>
> 1 = un → **premier / première**
> 5 = cin**q**   **MAIS** cin**quième** = 5^e
> 9 = neu**f**   **MAIS** neu**vième** = 9^e
> 11 = onz**e**   **MAIS** onz**ième** = 11^e
> 12 = douz**e**   **MAIS** douz**ième** = 12^e

- **Le féminin = le masculin**

  Voici mon **deuxième fils**. Voici ma **troisième fille**.

    MAIS

  Le **premier** jour de la semaine, c'est le lundi.

  La **première** semaine de juillet, les collégiens français sont en vacances.

ET DANS VOTRE LANGUE ?

- Est-ce que les nombres sont aussi difficiles ?
- Est-ce qu'il y a des nombres compliqués comme **soixante-dix-neuf** (79) ou **quatre-vingt-onze** (91) ?

1. Fatou rembourse Stéphane par chèque. Elle doit 12 euros.
M. Markovski vient souvent en France. Il a un chéquier français.
Il rembourse Stéphane. Il doit 44 euros. Remplissez les deux chèques.

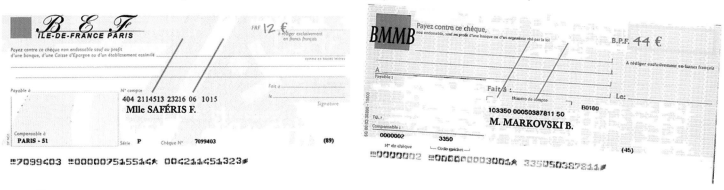

2. Dites dans quel arrondissement de Paris se trouvent les monuments du dessin.

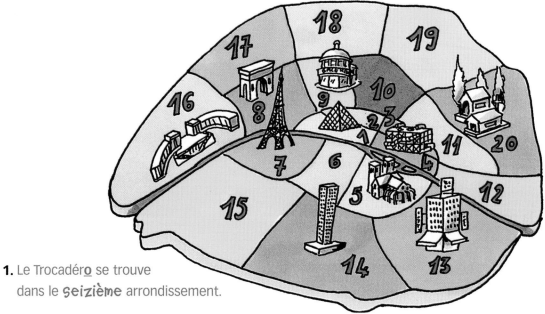

1. Le Trocadér**o** se trouve
   dans le **seizième** arrondissement.

2. Le Louvr**e** se trouve dans le .... arrondisement.

3. Notre-Dame se trouve dans le .... arrondissement.

4. Le **C**entre Georges-Pompidou (Beaubourg) se trouve dans le .... arrondissement.

5. La tou**r** Montparnasse se trouve dans le .... arrondissement.

6. Le cimetière du Père Lachaise se trouve dans le .... arrondissement.

7. Le quartier chino**is** se trouve dans le .... arrondissement.

8. La **t**our Eiffel se trouve dans le .... arrondissement.

9. L'**A**rc de Triomphe se trouve dans le .... arrondissement.

10. Les **G**aleries Lafayette se trouvent dans le .... arrondissement.

3. Placez les lettres en gras dans chaque arrondissement.
   Mettez-les dans l'ordre.

Vous obtenez le mot ....

Eh oui, les arrondissements de Paris forment un ....

Le verbe FAIRE

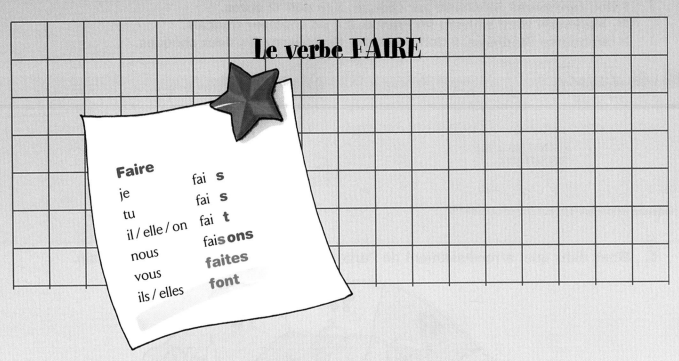

Faire	
je	fai **s**
tu	fai **s**
il / elle / on	fai **t**
nous	fais**ons**
vous	**faites**
ils / elles	**font**

• Le verbe **faire** est irrégulier. Il faut apprendre sa conjugaison par cœur.

• Le verbe **faire** s'emploie beaucoup en français. On l'utilise dans les expressions suivantes :

– **Pour parler du temps :**

il **fait** beau / il **fait** mauvais – il **fait** chaud / il **fait** froid

– **Pour demander la profession de quelqu'un :**

Qu'est-ce que tu **fais** ?

– **Pour parler des loisirs : sport – instrument de musique – activité artistique…**

Faire du sport – **faire** du tennis – **faire** du karaté – **faire** de la natation…

Faire de la peinture – **faire** de la sculpture…

Faire (jouer) du violon – **faire** (jouer) du piano…

– **Pour parler du travail scolaire – des travaux ménagers…**

Faire ses devoirs.

Faire la cuisine : **faire** un gâteau, **faire** une mousse au chocolat…

Faire la vaisselle – **faire** les courses.

...1... Complétez le dialogue avec le verbe faire.

Flash back sur le pique-nique.

1. Stéphane veut prendre une photo du groupe : — Il **fait** beau. Tout le monde est heureux. Je **fais** une photo ?

2. Stéphane au groupe : — Allez ! On .... un joli sourire.

3. — Vous .... tous un joli sourire.

4. *Krystyna écrit une lettre à une amie polonaise.*

Sarah : — Qu'est-ce que .... ?

5. Krystyna à Sarah : — Et eux là-bas qu'est-ce qu'.................... ?

6. Sarah : — Ils .... des bêtises.

7. Mme Marty à M. Markovski : — Qu'est-ce que .... dans la vie ?

8. M. Markovski : — Je suis informaticien. Je .... des programmes informatiques, mais j'aime aussi .... la cuisine.

...2... Complétez avec le verbe faire.

1. Qu'est-ce que vous **faites** ce week-end ?

2. Sarah : — Moi, ... la cuisine. J'adore .... des gâteaux.

3. Iannis .... du vélo et Léo .... du tennis.

4. Fatou et Leila : — Nous, nous .... nos devoirs. On a un contrôle lundi.

5. Sarah : — Et toi, Krystof, qu'est-ce que .... ce week-end ?

6. Krystof : — Je .... des photos de Paris. Tu viens avec moi, Sarah ?

...3... Relisez les exercices 1 et 2, répondez aux questions et donnez un exemple si vous répondez vrai.

En français, on utilise le verbe faire pour :

	Vrai	Faux	*Exemple*
1. Parler du temps.	☒	☐	Il fait beau.
2. Demander la profession de quelqu'un.	☐	☐	....
3. Demander l'âge de quelqu'un.	☐	☐	....
4. Parler d'un sport.	☐	☐	....
5. Parler des travaux ménagers.	☐	☐	....
6. Parler d'un loisir.	☐	☐	....
7. Donner son adresse.	☐	☐	....

...4... Et dans votre langue, est-ce qu'on utilise le verbe faire dans toutes ces situations ?

....

....

..1.. **Regardez attentivement le dessin et dites ce qu'il y a sur la table.**
Utilisez les partitifs (du, de la, des, de l').

Leila invite dix copains et copines à son anniversaire.
Sur la grande table, il y a beaucoup
de bonnes choses à boire
et à manger.

→ p. 30

Sur la table, il y a:

du Coca, ...

....

....

....

..2.. **Regardez à nouveau le dessin et précisez les quantités.**
Écrivez les nombres en lettres.

Sur la table, il y a:

cinq bouteilles de Coca, ...

....

....

....

..3.. **Regardez le dessin une dernière fois.**
À votre avis, pour 10 ados, est-ce qu'il y a assez, pas assez (= trop peu),
trop, beaucoup, peu, un peu de Coca, de jus de fruit, de gâteaux, etc.?
Utilisez toutes ces expressions pour donner votre avis.

À mon avis, il y a **trop de** biscuits au chocolat, mais **pas assez de** chips.

....

....

....

.4.. Cochez, dans la colonne B, la fin de phrase qui convient.

A	B
1. Cet hôtel est <u>trop</u> bruyant.	☒ On change.
	☐ On reste.
2. J'aime <u>beaucoup</u> Paris.	☐ C'est une très belle ville.
	☐ C'est une ville trop bruyante.
3. Krystyna a <u>peu d'amis</u> dans son nouveau collège.	☐ Elle est contente.
	☐ Elle est triste.
4. C'est <u>très bien</u>, Iannis.	☐ Il y a peu d'erreurs dans ton exercice de grammaire.
	☐ Il y a un peu d'erreurs dans ton exercice de grammaire.

.5.. Parlez-nous de vous...

A	B
Dites ce que vous faites	**Dites comment vous êtes.**
peu, un peu, beaucoup, trop,	**Vous êtes peu, un peu, très,**
pas assez (= trop peu).	**trop, pas assez (= trop peu)...**
Je dors beaucoup...	*Je suis très grand(e)...*

- ....
  ....
- ....
  ....
- ....
  ....
- ....
  ....
- ....
  ....

(colonne B)
- ....
  ....
- ....
  ....
- ....
  ....
- ....
  ....
- ....
  ....

.6.. Dites ce qu'il faut pour faire :

une mousse au chocolat	des crêpes	un dessert ou un plat de votre pays
Pour faire une mousse	Pour faire ...... crêpes,	Pour faire ....
au chocolat, il faut :	il faut :	il faut :
du chocolat,	.... farine,	....
...... œufs,	.... lait,	....
...... sucre,	.... œufs,	....
...... beurre et	.... margarine	....
.... crème, mais	ou .... huile.	....
ce n'est pas nécessaire.		....

à la, au, à l', aux

> **Vous allez *où* en vacances ?**

> **Où exactement ?**

> **Moi, je vais au Maroc, chez mes grands-parents.**

> **Mes grands-parents habitent à Casablanca, au bord de la mer.**

> **Super. Tu m'invites ?**

> **Vous êtes tous les bienvenus si vous voulez. La maison est grande. Rendez-vous à l'aéroport.**

■ Pour indiquer le **lieu où on est** on utilise :

• avec un **nom propre** :

– **à** avec un nom de **ville** :

Mes grands-parents habitent **à** Casablanca.

– **en** avec un nom de **pays** (île ou région) **féminin ou** commençant par une **voyelle** :

J'habite **en** France. (la France)

– **au** avec un nom de **pays masculin** :

Mes grands-parents habitent **au** Maroc.

– **aux** avec un nom de **pays pluriel** :

Mon oncle habite **aux** États-Unis. (les États-Unis)

• avec un **nom commun** :

– **à la** avec un nom **féminin** :

Je suis **à la** maison.

– **au** avec un nom **masculin** :

Je suis **au** camping.

– **à l'** avec un nom **commençant par une voyelle ou h** :

Je suis **à l'**hôtel.

– **aux** avec un **nom pluriel** :

Je suis **aux** Champs-Élysées.

■ Pour indiquer le **lieu où on va** on utilise :

• avec un **nom propre** :

– **à** avec un nom de **ville** :

Je vais **à** Casablanca.

– **en** avec un nom de **pays** (île ou région) **féminin ou** commençant par une **voyelle** :

Je vais **en** Espagne. (l'Espagne)

– **au** avec un nom de **pays masculin** :

Je vais **au** Maroc. (le Maroc)

– **aux** avec un nom de **pays pluriel** :

Je vais **aux** Antilles. (les Antilles)

• avec un **nom commun** :

– **à la** avec un nom **féminin** :

Je vais **à la** plage.

– **au** avec un nom **masculin** :

Je vais **au** cinéma.

– **à l'** avec un nom **commençant par une voyelle ou h** :

Je vais **à l'**école.

– **aux** avec un **nom pluriel** :

Je vais **aux** toilettes.

ATTENTION !

Je vais **chez** le coiffeur. (= une personne)

MAIS Je vais **au** salon de coiffure.

> **ET DANS VOTRE LANGUE ?**
> Comment indique-t-on :
> – le lieu où on est ?
> – le lieu où on va ?

1. **Complétez avec** à / en / à la / à l' / au / aux / chez.

Cet été, Karim rentre en Afrique du Nord. Il attend Sarah et Justine .... aéroport. Ensemble ils vont ....
mer, ... ses grands-parents, ... Casablanca. Tony va d'abord .... Espagne avec ses parents.
Ils vont .... montagne, puis .... Séville, ... ses cousins. Ensuite, il va retrouver Karim, Sarah et Justine
.... Maroc. Après le Maroc, Justine va .... Tunisie, ... des amis de sa mère.
Iannis, lui, va .... Grèce, d'abord .... Athènes puis .... Nauplie, une jolie petite ville au bord de la mer.
L'année prochaine, il ira .... Canada, ... Montréal (......... Québec) et .... Vancouver (......... Colombie-
Britannique).
Mais qui donc va en vacances .... France cette année ?
Eh bien Camille ! Elle va .... Antilles, ... Martinique puis .... Guadeloupe. Ses grands-parents
maternels habitent .... Fort-de-France et ses grands-parents paternels sont .... Pointe-à-Pitre.

2. **Dites ce que Camille fait tous les jours, le mercredi, le week-end, en vacances.**
Complétez avec à la / à l' / au / aux / chez.

TOUS LES JOURS

LE MERCREDI

LE WEEK-END

EN VACANCES

- Tous les jours, Camille va à l'arrêt de bus. Elle va .... collège Paul-Verlaine.
- À midi, ...
- Le mercredi, ...
  ou .... ou ....
- Le week-end, ...
  ou .... ou ....
- En vacances, ...
  ou .... ou ....

de la, du, de l', des

Alors comme ça, tu es une Française **des** Antilles, Camille ! Et toi, Tony, **d'**où viens-tu ?

Moi, ma mère vient **du** Canada, enfin **du** Québec, et mon père **de** Suisse.

Et les parents de maman sont originaires **de** Belgique.

Je suis né en France. Mon père est français, mais ma mère est vietnamienne. Elle vient **de** Saigon.

De vrais francophones. Moi, ma mère vient **d'**Auvergne et mon père **du** Maroc.

Mais qui est français ici ?

Ben... Nous.

■ Pour indiquer le **lieu d'où on vient**, on utilise :

• avec les **noms de pays**, **d'îles** ou **de régions** :

– **de** avec un nom de **pays** (île ou région) **féminin** singulier,

Je viens **de** Suisse. (la Suisse = pays – féminin)

Tu viens **de** Guadeloupe.
(la Guadeloupe = île – féminin)

Il vient **de** Bretagne.
(la Bretagne = région de France – féminin)

– **de** avec un nom d'**île** qui **ne se termine pas par e**,

Nous arrivons **de** Madagascar.

– **d'** avec un nom de **pays** (île, région ou continent) commençant par une **voyelle** ou **h**,

Je viens **d'E**spagne. (pays)

Tu viens **d'A**frique. (continent)

Elle vient **d'A**uvergne. (région de France)

– **du** avec un nom de **pays** (de région) **masculin** singulier,

Ma mère vient **du** Canada. (le Canada = pays – masculin)

Mon père vient **du** Midi. (le Midi de la France = région de France – masculin)

– **des** avec un nom de **pays** (d'îles) **pluriel**,

Mes grands-parents viennent **des** Antilles. (les Antilles = îles – pluriel)

• avec les **noms communs** :

– **de la** avec un nom **féminin**,

J'arrive **de la** plage.

Je sors **de la** maison.

– **du** avec un nom **masculin**,

Nous sommes **du** collège Paul-Verlaine.

Nous sortons **du** garage.

– **de l'** avec un nom **commençant par une voyelle ou h**,

Il arrive **de l'**aéroport.

Il sort **de l'**hôtel.

– **des** avec un **nom pluriel**,

Elle sort **des** douches de la piscine.

Il sort **des** grands magasins.

ET DANS VOTRE LANGUE ?

Comment indique-t-on le lieu d'où on vient ?

1. **Dites d'où Camille sort.**
Complétez avec de / du / de la / de l' / de.

Camille sort   Elle sort ....
de son lit.   ....

....
....

2. **Reliez A et B. Attention, parfois, deux réponses possibles.**

A	B
1. Je suis née à	**a.** Triel-sur-Seine.
2. Je vis à	**b.** Sénégal.
3. Mes grands-parents vivent en	**c.** Italie.
4. Ils sont originaires d'	**d.** Antilles.
5. Ma meilleure copine vient des	**e.** Corse.
6. Et mon meilleur copain a une maison au	**f.** Paris.

3. **Même exercice. Associez A et B. Attention, parfois, deux réponses possibles.**

A	B
1. Je suis née en	**a.** Nice.
2. Je vis à	**b.** Antilles.
3. Mes grands-parents vivent aux	**c.** Gabon.
4. Ma grand-mère est originaire du	**d.** Italie.
5. Ma meilleure copine vient de	**e.** Paris.
6. Mon meilleur copain a une maison au	**f.** Maroc.

4. **À vous ! Sur le même modèle, présentez-vous et présentez vos amis,**
votre famille. Utilisez à / en / au / à la / à l' / aux / de / du / de la / de l' / des.

A	B
• Je suis née à	....
• Je vis	....
• Mes grands-parents vivent au	....
• Ma / mon / mes	....
•	....
•	....

SE SITUER DANS L'ESPACE

devant, derrière, sur, sous
à côté de...

Pour aller au collège Paul-Verlaine, Alex et Léo passent devant la pharmacie, puis sous les arcades et arrivent sur la place de la République. Ils s'assoient sur un banc, près de la mairie, et attendent Karim et Tony. À 8 h 20, ils se dirigent vers le collège en passant par le parc. À 8 h 25, ils sont dans la cour du collège et à 8 h 30 en face de leur professeur.

- Pour indiquer la **position** d'un objet, pour **situer** quelque chose, pour indiquer une **direction**…, on utilise des **prépositions de lieu** (**devant, derrière, à côté de**…).

  Alex passe **devant** la pharmacie, puis **sous** les arcades.

- Certaines prépositions sont suivies de **de** qui varie en fonction de l'**article défini**.

  Le collège est **près du** parc. (**le** parc)   – près de + le = **près du**
  Le collège est **en face** de la banque. (**la** banque)   – en face de + la = en face de la
  Le collège est **à côté de** l'école élémentaire.   – à côté de + l' = à côté de l'
  Le collège est **loin des** grands magasins.   – loin de + les = **loin des**

  MAIS :

  Le collège est **près d'un** parc.   – près de + un = près d'un
  Le collège est **en face d'une** banque.   – en face de + une = en face d'une

- Il n'y a **pas d'article** devant les **noms de famille et les prénoms** :

  Il est **devant** Paco. – Il est **près de** M. Sanchez. – Il est **à côté d'**Elsa.

- Il n'y a **pas d'article** devant les noms de ville :

  J'habite **près de** Paris.
  Ma tante habite **loin d'**Avignon.

ET DANS VOTRE LANGUE ?

Est-ce qu'on indique le lieu avec une **préposition** ?

1 Dites où est Jo.

1   2   3

4   5

6

7

1. Jo est **sur** Napo.

2. ....   **5.** ....

3. ....   **6.** ....

4. ....   **7.** ....

2 La chambre d'Alex et de Léo est vraiment en désordre.
Dites où chaque chose se trouve.

Pour vous aider. Prenez un mot dans chaque colonne.

1. Les manteaux sont **sur** le lit.

2. ....

3. ....

4. ....

5. ....

6. ....

7. ....

8. ....

9. ....

10. ....

manteaux	devant	ordinateur
lampe	à droite de	chambre
livres	sur	chaise
CD	près de	couette
crayons	à côté de	fenêtre
cartable	sur	lit
livres	sous	chaise
cahier	au milieu de	appareil photo
bouteille de Coca	autour de	cartable
paquet de biscuits	à gauche de	bureau

5 à côté de moi, entre elle et lui devant nous, derrière vous...

• Le **pronom tonique a une seule forme** quelle que soit sa fonction (sujet, complément) ou sa place dans la phrase : **moi, toi, lui, elle, nous, vous, eux, elles.**

— Je ne pars pas cet été. Et **toi** ?

— **Moi**, je vais en vacances au Portugal. Mes parents ont une maison là-bas. Tu veux venir avec **moi** ?

— Qui ? **Moi** ?

— Ben oui ! **Toi** !

— Chez **toi** ? Mais je ne connais pas ta famille.

• **Après** les prépositions de lieu (**chez, devant, derrière, à côté de**...) et les autres prépositions comme **avec, sans, pour**..., on utilise donc un **pronom tonique.** → p. 14

Je	=	Il est **devant** moi.
Tu	=	Il est **derrière** toi.
Il	=	Il est **à côté de** lui.
Elle	=	Il est **près d'**elle.
Nous	=	Il est **en face de** nous.
Vous	=	Il vient **chez** vous.
Ils	=	Il vient **vers** eux.
Elles	=	Il vient **avec** elles.

ET DANS VOTRE LANGUE ?

Quelle forme prend le pronom après les prépositions ?

....1.. Complétez avec un pronom tonique (moi, toi, lui...)

Tony :   — Tu viens en Espagne avec **moi** cet été ?

Karim : — Non, je ne peux pas. Je vais au Maroc. Sarah et Justine viennent aussi. Viens avec .... !

Tony :   — Après l'Espagne alors... pourquoi pas ? C'est possible de venir chez .... avec Paco ?

          C'est mon cousin. Il est très sympa. Tu pourras jouer au foot avec ....

Karim : — Super. Mes grands-parents ont une grande maison et ils sont toujours très contents

          quand il y a du monde chez ....

Tony :   — Ta maison est près de la mer ?

Karim : — La mer est en face de la maison. Tu te lèves et tu as le grand bleu en face de ....

          Mais tu n'as pas une cousine en Espagne ?

Tony :   — Si...

Karim : — Tu peux venir avec .... aussi si tu veux.

....2.. Complétez avec un pronom tonique (moi, toi, lui...).

Il est tard. Mme Marty invite tous les amis de Sarah, de Léo et d'Alex à dîner.

Elle place tout le monde autour de la table.

Mme Marty : — Alors, Iannis, tu te mets là, et ...., Justine, ici, à côté de *(Iannis)* .... Sarah,

          tu te mets à côté de *(«je»)* ...., et ...., Krystof, tu te mets en face de *(Sarah)*

          .... Camille, tu t'assieds près de Karim.

          Qu'est-ce qui se passe Camille ? Tu ne veux pas être à côté de *(Karim)* ....?

Camille :   — Ben, j'aimerais m'asseoir à côté de Justine pour parler de mes vacances avec *(Justine)*

          ....

Tony :   — Bon ! ...., je vais m'asseoir en face de *(Sarah et de Justine)* ....

          Karim, viens avec *(Justine, Sarah et «je»)* ....! Nous devons parler du Maroc.

Mme Marty : — Bon, asseyez-vous où vous voulez.

          Léo, viens avec *(«je»)* .... à la cuisine. Et .... aussi Alex !

....3.. Décrivez votre position dans la classe et celles de vos camarades.
Utilisez des prépositions de lieu (devant, derrière...) **et des pronoms**
toniques (moi, toi, lui...). **Complétez et continuez.**

.... est assis(e) à côté de moi. À côté d'/de .... , il y a .... et

.... Devant/derrière .... , il y a ....

....

....

....

....

5 Où vas-tu ? / Tu vas en Espagne ? Est-ce que tu vas à Madrid ?

1 Alors Sarah, où vas-tu en vacances finalement ?

2 Si papa est d'accord, je vais au Maroc, chez Karim. Et toi, où est-ce que tu vas ?

3 Moi, je vais en Grèce, chez Iannis, et puis avec toi au Maroc.

4 Vous partez quand au Maroc ?

5 En août, si maman est d'accord !

■ Pour **poser une question**, on peut utiliser :

• **l'intonation montante**

On garde la **structure sujet – verbe** – (complément) et on monte le ton sur la dernière syllabe.

sujet + verbe + complément
Tu   vas   au Maroc **?**

> **ATTENTION !**
> N'oubliez pas le **point d'interrogation (?)**.

• **est-ce que** devant le sujet et le verbe (et le complément)

Est-ce que   + sujet + verbe + complément
Est-ce que   tu   vas   au Maroc **?**

• un **adverbe interrogatif** (**où** / **quand** ...) + **est-ce que** + le **sujet** et le **verbe** (et le complément)

mot interrogatif + est-ce que + sujet + verbe (+ complément)
Où   est-ce que tu   vas (au Maroc)**?**
Quand   est-ce que tu   pars **?**

■ On peut aussi commencer par :

• le **verbe** suivi du **sujet**,

verbe + sujet (+ complément)
Viens•tu   (au Maroc) (avec nous)**?**

> **ATTENTION !**
> On met un **trait d'union** entre le verbe et le sujet.

• un **adverbe interrogatif** (**où** / **quand** ...) suivi du **verbe** et du **sujet**,

mot interrogatif + verbe + sujet (+ complément)
Quand   part - il**?**
Où   va -t- il**?**

> **ATTENTION !**
> Si le **verbe** se termine par une **voyelle** (**e, a**), on ajoute **-t** entre 2 traits d'union **entre le verbe et le pronom.**

> **ET DANS VOTRE LANGUE ?**
> Existe-t-il plusieurs façons de poser une question ?

1. **Reliez** A **et** B.

A	B
1. Où	**a.** passes-tu pour aller en Grèce ?
2. Tu retrouves Krystof	**b.** passez-vous le mois d'août ?
3. Quand est-ce	**c.** se dirige ce bateau, s'il vous plaît ?
4. Est-ce que	**d.** que Iannis part en Grèce ?
5. Par où	**e.** à Casablanca cet été ?
6. Vers où	**f.** quand à Madrid ?
7. Tu viens avec nous	**g.** tu vas aux Antilles cet été ?
8. Mais chez qui	**h.** en Pologne, dans sa famille ?
9. Vous partez	**i.** vas-tu en vacances ?

2. **Posez une question sur la partie soulignée de trois façons différentes.**

Question

1. Je pars avec Justine et Léo <u>au Maroc</u>.
Où pars-tu avec Justine et Léo ?
ou Où est-ce que tu pars avec Justine et Léo ?
ou Tu pars où avec Justine et Léo ?

2. Je pars <u>avec Justine et Léo</u>.
• ....
....
....

3. Pour aller en Espagne, nous passons <u>par Toulouse</u>.
• ....
....
....

4. Cet été elle va <u>en Pologne</u>.
• ....
....
....

5. Ils vont <u>chez Krystof</u> cet été.
• ....
....
....

6. Je suis très fatiguée. J'arrive <u>des Antilles</u>.
• ....
....
....

7. Ce soir, je rencontre <u>ma correspondante</u>.
• ....
....
....

8. Je prends le train <u>demain matin.</u>
• ....
....
....

Les verbes ALLER et VENIR

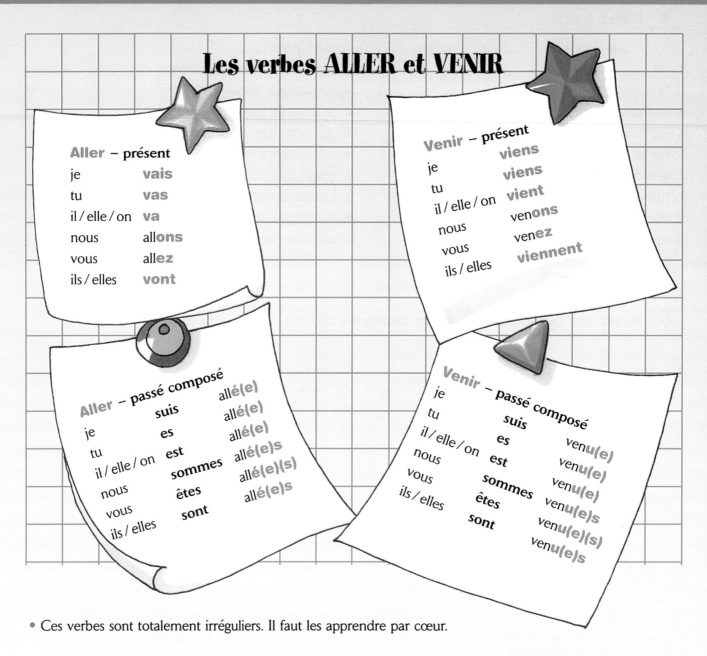

Aller – présent

je	**vais**
tu	**vas**
il / elle / on	**va**
nous	**allons**
vous	**allez**
ils / elles	**vont**

Venir – présent

je	**viens**
tu	**viens**
il / elle / on	**vient**
nous	ven**ons**
vous	ven**ez**
ils / elles	**viennent**

Aller – passé composé

je	suis	all**é(e)**
tu	es	all**é(e)**
il / elle / on	est	all**é(e)**
nous	sommes	all**é(e)s**
vous	êtes	all**é(e)(s)**
ils / elles	sont	all**é(e)s**

Venir – passé composé

je	suis	**venu(e)**
tu	es	**venu(e)**
il / elle / on	est	**venu(e)**
nous	sommes	**venu(e)s**
vous	êtes	**venu(e)(s)**
ils / elles	sont	**venu(e)s**

- Ces verbes sont totalement irréguliers. Il faut les apprendre par cœur.

- Au passé composé, ces verbes se conjuguent avec l'auxiliaire **être**.

> Carla, j'ai deux places pour un spectacle de danse moderne ce soir, tu viens avec moi ?

> C'est super ! Je ne suis jamais allée au théâtre à Paris.

> Bon ben... on y va ? Ça commence à 18 h 30.

1. Reliez A et B. Attention! Parfois, deux réponses possibles.

A	B
1. Je	**a.** venons de Suède.
2. Nous	**b.** viens de France.
3. Elle	**c.** venez du Portugal.
4. Vous	**d.** viens d'Italie.
5. Ils	**e.** vient d'Espagne
6. Tu	**f.** vient de Pologne.
7. On	**g.** viennent d'Angleterre.

2. Complétez le dialogue avec le verbe aller.

1. Krystof : — Qu'est-ce qu'on fait à Paris le dimanche ?

2. Sarah : — Eh bien, d'abord, tu ne vas pas à l'école.

3. Krystof : — D'accord. Mais tu .... où ?

4. Sarah : — Moi, je .... souvent au cinéma. J'adore ça. Mais on peut aussi .... au musée ou dans les jardins publics. Avec mes parents et des amis, nous .... aussi parfois dans des bases de loisirs à l'extérieur de Paris.

5. Krystof : — Et vous .... où cet après-midi ?

6. Léo : — Moi, je .... à la piscine avec mes copains et puis après nous .... faire du roller. Alex et Adrien, eux, ... jouer au foot.

3. Complétez le dialogue avec le verbe aller ou venir.

1. Fatou : — Je .... au cinéma avec Sarah.

Tu .... avec nous, Krystof ?

2. Sarah : — Cet après-midi on joue *Taxi*. Ça vous .... ?

3. Krystof : — Léo et Karim .... aussi ?

4. Léo : — Non, nous ne .... pas. Nous .... à la piscine.

5. Alex : — Qu'est-ce qu'on fait, Adrien ? On joue au foot ou on .... avec eux ?

6. Adrien : — Vous .... à quelle séance ?

7. Sarah : — À 16 heures. Alors vous .... , oui ou non ?

8. Krystyna : — Je .... aussi, si vous voulez bien. Je ne connais pas bien le cinéma français. C'est un film drôle ?

9. Léo : — Très drôle. Bon, je .... aussi.

10. Adrien : — Moi aussi. On y .... tous !

4. Par quel verbe commence *La Marseillaise* ? Connaissez-vous ce mode ?

→ tableau de conjugaison p. 119

.........................., enfants de la patrie, ...

Les verbes en -ir

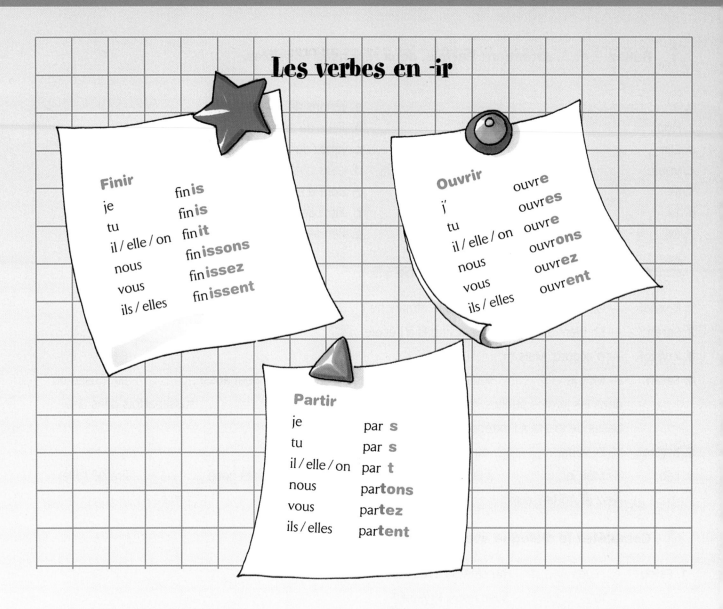

Finir

je	fin**is**
tu	fin**is**
il / elle / on	fin**it**
nous	fin**issons**
vous	fin**issez**
ils / elles	fin**issent**

Ouvrir

j'	ouvr**e**
tu	ouvr**es**
il / elle / on	ouvr**e**
nous	ouvr**ons**
vous	ouvr**ez**
ils / elles	ouvr**ent**

Partir

je	par **s**
tu	par **s**
il / elle / on	par **t**
nous	par**tons**
vous	par**tez**
ils / elles	par**tent**

Il y a **trois types** de verbes en **-ir** :

→ liste des verbes p. 120

1. Les verbes qui se conjuguent comme finir

Pour former le présent de ces verbes, on enlève la terminaison **-ir** et on la remplace :
– au singulier par **-is**, **-is**, **-it**,
– au pluriel par <u>**-issons**</u>, <u>**-issez**</u>, <u>**-issent**</u>.

2. Les verbes qui se conjuguent comme ouvrir

Pour former le présent de ces verbes, on enlève la terminaison **-ir** et on la remplace :
– au singulier par **-e**, **-es**, **-e**,
– au pluriel par **-ons**, **-ez**, **-ent**.

3. Les verbes qui se conjuguent comme partir

Pour former le présent de ces verbes :
– au singulier, on enlève **-ir** et la consonne devant **-ir** et on les remplace par **-s**, **-s**, **-t**,
– au pluriel, on garde la consonne devant **-ir** et on remplace **-ir** par **-ons**, **-ez**, **-ent**.

1. **Complétez le tableau. Conjuguez les verbes au présent.**

Ne pas sortir	Choisir un livre	Ouvrir le livre
Je ne sors pas.	Je	J'
Vous	Vous	Vous
Sentir l'odeur du papier encré	**Finir l'histoire**	**S'endormir**
Je	Tu	Tu
Vous	Nous	Nous
Dormir profondément	**Vieillir d'un jour**	**Partir pour toujours**
Tu	Tu	Je
Nous	On	Vous
Offrir des fleurs	**Ne pas mentir**	**Découvrir le monde**
Il	Tu	Je
Nous	Ils	Elles

2. **Conjuguez le verbe partir.**

Cet été nous .... tous en vacances. Je .... au Maroc... Iannis .... en Grèce. Vous .... en Espagne. Et toi, où .... -tu ?

3. **Connaissez-vous la comptine :**

Frère Jacques, frère Jacques
Dormez-vous ? Dormez-vous ?
Sonnez les matines. Sonnez les matines.
Ding ! Dingue ! Dong !

Avez-vous la même dans votre pays ?

...**1**... **Décrivez la carte de l'Union européenne. Commencez par la France ou par un autre pays. Utilisez les prépositions de lieu de la liste.**

Au nord de la France, on trouve la Belgique. À l'est de la Belgique, c'est .... et à côté de ...., c'est le Luxembourg. ....

....

au nord de ● au sud de
● à l'est de ● à l'ouest de
● à côté de ● à droite de
● à gauche de ● au-dessous de
● au-dessus de ● entre ... et ...

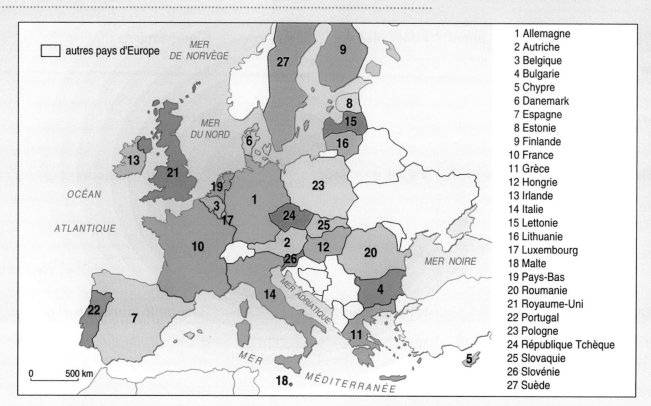

1 Allemagne	
2 Autriche	
3 Belgique	
4 Bulgarie	
5 Chypre	
6 Danemark	
7 Espagne	
8 Estonie	
9 Finlande	
10 France	
11 Grèce	
12 Hongrie	
13 Irlande	
14 Italie	
15 Lettonie	
16 Lituanie	
17 Luxembourg	
18 Malte	
19 Pays-Bas	
20 Roumanie	
21 Royaume-Uni	
22 Portugal	
23 Pologne	
24 République Tchèque	
25 Slovaquie	
26 Slovénie	
27 Suède	

autres pays d'Europe

MER DE NORVÈGE
MER DU NORD
OCÉAN ATLANTIQUE
MER ADRIATIQUE
MER NOIRE
MER MÉDITERRANÉE

0   500 km

...**2**... **Complétez avec de / du / de la / des / à / en.**

Dans la classe de cinquième du collège Paul-Verlaine, il y a 29 élèves. Vous connaissez :

– Léo, Alex et Sarah : ils sont français mais leur mère vient du Québec et leur père .... Suisse.

Leurs grands-parents, eux, viennent .... Belgique ;

– Justine : son père vient .... Bretagne et sa mère .... Auvergne ;

– Fatou : ses parents viennent .... Sénégal ;

– Karim : son père est français et sa mère vient .... Maroc ;

– Camille est originaire .... Antilles, ... Martinique. Sa famille vient .... Fort-de-France ;

– Laure : sa mère vient .... Paris et son père .... Corse ;

– Adrien : sa mère vient .... Alsace et son père est né .... Angers ;

– Tony est français et vietnamien. Son père est né .... Bourgogne et sa mère est .... Saïgon ;

– la famille Markovsky est polonaise. Les enfants sont nés .... Pologne, Mme Markovsky est née .... Russie. Ils habitent .... Cracovie. Mais maintenant ils sont en vacances .... France.

Ils sont actuellement .... Paris mais demain ils vont .... Provence.

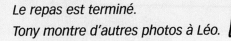

3 Mettez-vous par deux.
L'un pose des questions.
L'autre répond.
Utilisez des prépositions
de lieu (à côté de...,
devant..., en dessous
de..., au fond de...)
et des pronoms toniques
si c'est possible
(moi, lui, eux...).

Le repas est terminé.
Tony montre d'autres photos à Léo.

Questions

Léo : — Où es-tu ?

1. — Qui est à côté d'elle ?

2. ....

3. ....

4. ....

5. ....

6. ....

7. ....

Réponses

Tony : — En face d'Elsa.

....

....

....

....

....

....

4 Complétez avec à / à la / à l' / au / chez.

1. Pour acheter du pain, on va à la boulangerie / chez le boulanger.

2. Pour acheter de la viande, on va ....

3. Pour acheter du saucisson, du jambon, du pâté, on va ....

4. Pour se faire couper les cheveux, on va ....

5. Pour acheter des livres, on va ....

6. Pour acheter du papier, des stylos, des enveloppes, on va ....

7. Pour acheter des médicaments, on va ....

8. Quand on est malade, on va .... *(une seule solution).*

5 Répondez aux questions suivantes. Faites des phrases avec un verbe.

1. À quelle heure finissez-vous les cours dans votre pays ? Je finis les cours à ....

2. Jusqu'à quelle heure faites-vous vos devoirs ? ....

3. Est-ce que vous ouvrez un livre avant de vous endormir ? ....

4. À quelle heure dormez-vous profondément ? ....

5. À quelle heure partez-vous le matin ? ....

6

Dans une demi-heure, il est minuit !

Il est vingt-deux heures trente sur Radio jeunes. La météo annonce...

Tony, il est déjà dix heures et demie. Tu éteins, s'il te plaît. Demain, tu te lèves tôt. L'avion pour Séville part à huit heures trente-neuf et il faut être à l'aéroport une heure avant minimum !

l'heure

	Dans la vie quotidienne	Heure officielle (radio, trains…)
M A T I N	sept heures (du matin)	sept heures
	sept heures **et** quart	sept heures quinze (minutes)
M I D I	midi	douze heures
	midi **et** demi	douze heures trente (minutes)
A P R È S - M I D I	quatre heures (de l'après-midi)	seize heures
	quatre heures trente-cinq *ou* cinq heures **moins** vingt-cinq	seize heures trente-cinq (minutes)
S O I R	huit heures (du soir)	vingt heures
	neuf heures **moins** vingt	vingt heures quarante (minutes)
N U I T	minuit	vingt-quatre heures *ou* zéro heure

la durée

Dans la vie quotidienne	Temps officiel (radio, trains…)
un quart d'heure (1/4 h)	quinze minutes
une demi-heure (1/2 h)	trente minutes
trois quarts d'heure (3/4 h)	quarante-cinq minutes
une heure (1 h)	soixante minutes *ou* une heure
une heure **et** quart (1 h 1/4)	soixante-quinze minutes
une heure **et** demie (1 h 1/2)	quatre-vingt-dix minutes

ATTENTION !

une demi-heure   **une** heure et demie
  deux heures et demie

ET DANS VOTRE LANGUE ?

Est-ce qu'on donne l'heure de deux façons ? Dans la vie quotidienne et de façon officielle ?

1 Il y a 10 vols pour Séville. Écrivez les heures des vols en toutes lettres :
  – l'heure donnée par l'oncle de Tony au téléphone,
  – l'heure donnée à l'aéroport par l'hôtesse.

• L'oncle : Alors…, il y a un vol à six heures (du soir).

• L'hôtesse : Le vol pour Séville partira à dix–huit heures.

• L'oncle : ....

• L'hôtesse : ....

....

• L'oncle : ....

• L'hôtesse : ....

....

• L'oncle : ....

• L'hôtesse : ....

....

• L'oncle : ....

....

• L'hôtesse : ....

• L'oncle : ....

....

• L'hôtesse : ....

• L'oncle : ....

....

• L'hôtesse : ....

• L'oncle : ....

....

• L'hôtesse : ....

• L'oncle : ....

....

• L'hôtesse : ....

....

2 Écrivez dans le tableau l'heure en chiffres de façon officielle.

Tony et Laure au téléphone.

Tony : — Salut Laure ! Qu'est-ce que tu fais ce soir à sept heures et demie ? ①

Laure : — Rien mais je vais au cinéma à la séance de huit heures. ② Pourquoi ?

Tony : — J'ai un copain de mon cousin espagnol à la maison, Carlos. Et comme
tu apprends l'espagnol… je voulais t'inviter à dîner.

Laure : — Désolée. Mais je peux peut-être passer avant. À huit heures moins
le quart par exemple ? ③

Tony : — Ça fait juste. Tu ne peux pas venir à six heures et demie ? ④

Laure : — Non, j'ai un devoir de géo à finir. Sept heures et quart, ça te va ? ⑤

Tony : — O.K. Ou alors, j'ai une autre idée. Qu'est-ce que tu fais ce matin ?

Laure : — Il est quelle heure là ? Neuf heures moins le quart. ⑥ J'ai un cours
de tennis à dix heures moins le quart. ⑦ Il se termine à dix heures quarante-
cinq. ⑧ Le temps de prendre ma douche… je peux être chez toi à midi. ⑨

Tony : — Super. On déjeune à midi et demi. ⑩

Laure : — Mais je dois être de retour à trois heures. ⑪ J'ai un cours de piano
à quatre heures moins le quart ⑫ et je n'ai pas fait mes gammes…

①	19h30
②	
③	
④	
⑤	
⑥	
⑦	
⑧	
⑨	
⑩	
⑪	
⑫	

le matin, à midi, demain (1)

- Pour se situer **par rapport au moment où on parle**, on utilise :

maintenant • tout de suite • dans un moment • tout à l'heure • avant • après

M. Lemercier :	– À table.
Tony :	– J'arrive **dans un moment**.
Mme Lemercier :	– Non ! **Tout de suite**. Tout est prêt.
Elsa :	– On finit la partie de tennis.
M. Lemercier :	– Vous la finirez **tout à l'heure**. **Maintenant** on mange.
Mme Lemercier :	– On mange et **après** on joue.
M. Lemercier :	– Mais **avant**, vous vous lavez les mains.

- Pour exprimer **un moment de la journée**, on utilise :

le matin	à midi	l'après-midi	le soir	à minuit
5 h ——> < 12 h	12 h	13 h ——> < 18 h	18 h ——> 23 h	24 h

— En vacances… **le matin**, je me lève à 10 heures,
l'après-midi, je me repose, **le soir**, je me couche tard.

— Et moi, en vacances, je me lève **à midi** et je me couche **à minuit**.

- Dans la vie quotidienne, on dit :

— Je me suis couché à deux heures **du matin** et je me suis réveillé
à deux heures **de l'après-midi**.

— Il est six heures **du soir** et j'ai déjà sommeil.

> **ET DANS VOTRE LANGUE ?**
> - Est-ce que la journée est divisée en trois grandes périodes : le matin, l'après-midi, le soir ?
> - La quatrième période est la nuit. Chez vous aussi ?

.1.. Complétez avec une expression de temps.
Attention! chaque expression n'est utilisable qu'une seule fois.

Tony raconte sa vie.

1. Je me lève *tous les matins à 7h30*.

2. Je prends mon petit déjeuner ....

3. Je fais ma toilette ....

4. .... , je me lève un peu plus .... car c'est plus long de s'habiller.

5. Le trajet vers le collège dure ....

6. .... , les cours commencent.

7. .... , je mange à la cantine.

8. .... se passe toujours bien mais .... c'est dur : j'ai faim.

9. Nous dînons .... mais heureusement, ... vers cinq heures je goûte : pain, beurre, chocolat ou confiture.

10. .... en général, je fais mes devoirs et j'apprends mes leçons.

11. .... , je n'ai pas cours et le mercredi .... non plus. Je fais donc du tennis deux fois ....

12. .... aussi je vais à la piscine ou je joue au foot.

13. En général, ... , je vais souvent en Espagne, chez mes cousins.

14. Je passe .... d'août chez eux.

15. Et .... , c'est le grand jour du départ. Je suis hyper content !

> ● tôt ● à 8h30 ● à midi
> ● la matinée ● en vingt
> minutes ● à huit heures
> ● tous les matins à 7h30
> ● en été ●
> ce matin ● vers huit
> heures du soir ● le soir ●
> en hiver ● l'après-midi ●
> après-midi ● par
> semaine. ● chaque
> semaine ● avant ●
> un quart d'heure ●
> tout le mois ● le samedi ●

.2.. Remettez les phrases du dialogue dans l'ordre.

a. Tony : — Il est déjà 14 heures tu veux dire. ☐

b. Elsa : — Oui mais ce matin, tu as pris ton petit déjeuner à 10 heures. ☐

c. Tony : — Un très bon copain. Pendant les vacances, on se téléphone trois fois par jour. ☐

d. Tony : — Oui ! Mais d'abord, apporte-moi une orange, s'il te plaît. J'ai trop faim. ☐

e. Elsa : — Allez, viens ! On va se baigner. ☐

f. Elsa : — À quelle heure ? ☐

g. Tony : — Pas tout de suite. J'attends un appel téléphonique de Léo. ☐

h. Tony : — Dans une demi-heure environ. ☐

i. Elsa : — Bon, d'accord, j'attends avec toi. Et qui est ce Léo ? ☐

j. Elsa : — Tu as une photo ? ☐

k. Elsa : — Tu exagères. Il est à peine 2 heures. ☐

l. Tony : — Tu n'as pas faim Elsa ? ☐1

6 le matin, à midi, demain (2)

• Pour exprimer **la durée dans la journée**, on utilise :

la matinée • **l'après-midi** • **la soirée**

En vacances, **mes matinées** sont courtes, **mes soirées** sont longues.

• Pour exprimer **un moment de l'année**, on utilise :

jour	mois	année	saison
le 25 décembre	**en** décembre	**en** 2001	**en** hiver
	MAIS **au** mois **de** décembre		**en** automne
			en été
			au printemps
			MAIS **au** début de l'hiver
			à la fin du printemps

> **ATTENTION !**
> à Noël – à Pâques – au Nouvel An

Ma petite sœur est née **en** 2000, à minuit et demi. **En** hiver.
Au début de l'année. **En** janvier. **Le** 1er janvier exactement. **Au** Nouvel An.

• Pour se repérer **par rapport à l'heure**, on utilise à…, vers…, dans…   → *l'heure*, p. 92

Nous déjeunons **à** midi. • Nous déjeunons **vers** midi. • Nous déjeunons **dans** un quart d'heure.
(= 12 h 00)   (± 11 h 50 / 12 h 15)   (= Il est 11 h 45, le déjeuner est à 12 h 00.)

• Pour **donner son avis sur l'heure, le temps qui passe**…, on utilise des adverbes :

— Réveille-toi. Ton train est à 8 h.

— Mais il est **à peine** 6 h. (= Il est **seulement** 6 h. = Il n'est **que** 6 h.)

— Zut ! Il est **déjà** 6 h et mon train est à 6 h 15.

— Huit heures du soir, c'est **tard** pour dîner, dit Mathias, suisse.

— Ah bon ! Pour nous c'est **tôt**, dit Elsa, espagnole.

• Pour exprimer **la répétition**, on utilise :

		ou
une **fois par** jour (singulier)	**tous les** jours (pluriel)	= **chaque** jour (singulier)
deux **fois par** semaine	**toutes les** semaines	= **chaque** semaine
trois **fois par** mois	**tous les** mois	= **chaque** mois
quatre **fois par** an / année	**tous les** ans	= **chaque** année

— Je mange trois **fois par** jour. Je fais du tennis deux **fois par** semaine.
Je vais au cinéma trois **fois par** mois. Je vais chez le coiffeur quatre **fois par** an.

— **Tous les** jours, je me lève. **Chaque** semaine, je vais à la piscine.
Tous les mois, j'ai un contrôle de maths. Et **chaque année**, je pars en vacances.

.1. **Regardez ces dessins. Imaginez les vacances de Tony en Espagne.**
Utilisez huit expressions de temps différentes.

| 1 | 2 | 3 | 4 |

| 5 | 6 | 7 | 8 |

1. L'après-midi, quand il fait chaud, Tony lit une BD à la plage.

2. ....

3. ....

4. ....

5. ....

6. ....

7. ....

8. ....

.2. **Cochez la phrase qui convient.** → **passé composé p. 100**

A

1. Il est déjà sept heures.
    a. Réveille-toi. ☒
    b. Dors encore un peu. ☐

2. Dépêche-toi,
    a. on part tout de suite. ☐
    b. on ne part que cet après-midi. ☐

3. Le train est parti.
    a. Je me suis levé trop tard. ☐
    b. Je me suis levé trop tôt. ☐

B

1. Ce dimanche,
    a. je me lève tard d'habitude. ☐
    b. je me lève tôt. On va à Cordoue. ☐

2. M. Lemercier a préparé le petit déjeuner.
    a. Il est debout depuis longtemps. ☐
    b. Il se lève dans un moment. ☐

3. Le petit déjeuner est prêt.
    a. Il est déjà sur la table. ☐
    b. Il est à peine sur la table. ☐

6 il vient de se lever / il va partir

SE SITUER DANS LE TEMPS

Je viens de...

• On utilise **venir de** + un **verbe à l'infinitif** pour **une action tout juste finie, une action à peine terminée**. C'est le passé récent.

Il est 10 heures et demie. Tony **vient de se lever**.

Je vais...

• On utilise **aller** + un **verbe à l'infinitif** pour **une action future** mais **presque certaine**. Celui qui parle voit cette action **très proche**. C'est le futur proche.

Il est 2 heures et demie. Tony a faim. Il **va rentrer**. C'est sûr.

→ conjugaison de *aller* et *venir* p. 86

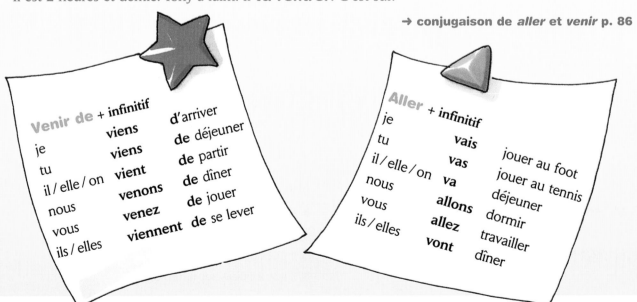

98 – quatre-vingt-dix-huit

1. **Lisez les phrases et classez-les dans le tableau.**

1. Je viens de finir l'année scolaire.
2. Je suis en vacances.
3. Je vais partir en Espagne.
4. Je suis très content.
5. Ma sœur va partir avec moi.
6. Nous allons bien nous amuser.
7. Elsa et Paco viennent de terminer leurs cours eux aussi.
8. On va aller se baigner tous ensemble.
9. Nous allons manger des glaces.
10. Tony, tu viens de déjeuner !

Action au présent	Action au futur (proche)	Action au passé (récent)
		1.

2. **Reliez A et B puis faites une phrase selon le modèle.**

A

1. Il fait chaud
2. J'ai soif
3. Nous avons faim
4. Il est fatigué
5. Elle n'a pas sommeil
6. Il pleut

B

a. boire un verre d'eau fraîche
b. se baigner
c. lire une B.D.
d. rentrer à la maison
e. se reposer sous un parasol
f. manger une tortilla

1. / b. Il fait chaud : je vais me baigner. OU Il fait chaud : on va se baigner.

2. / ....

3. / ....

4. / ....

5. / ....

6. / ....

3. **Complétez avec** venir de **et un verbe à l'infinitif.**

1. — Tu viens te baigner ?   — Non, pas tout de suite. Je **viens de manger** une paella.

2. — On va se baigner ?   — Non, pas tout de suite, on .... une partie de tennis. *(faire)*

3. — J'ai très soif.   — Mais ce n'est pas possible. Tu .... un litre de jus d'orange. *(boire)*

4. — Fais attention aux taches de peinture. Papa .... toutes les portes. *(peindre)*

5. — Tu viens au cinéma avec nous ? On joue *Pauline à la plage* au cinéma français.

   — Oh non ! Nous .... ce film pendant le cours de français. *(voir)*

6. — On joue aux cartes ?   — Non. Maintenant vous allez vous coucher.

     Vous .... trois parties de Monopoly. *(faire)*

6 Oh ! Tu as préparé un gâteau ! (1)

■ Emploi du passé composé

• Pour indiquer qu'une action a **commencé avant le moment où on parle**
et qu'elle est **finie au moment où on parle**, on utilise le **passé composé**.
Le passé composé permet de voir (ou imaginer) le résultat de cette action au moment où on parle.

Oh ! Tu **as préparé** un gâteau ! = L'action est finie : le gâteau est fait.
(Je le vois. Ou bien : ça sent bon. Ou bien : je vois du chocolat fondu
et une cuillère en bois dans un plat…)

J'**ai mangé** la dernière part. = L'action est finie : la part n'est plus sur le plat à dessert.
(Maintenant, il n'y a plus de gâteau pour les autres.)

• Le passé composé se forme avec l'**auxiliaire avoir** ou **être au présent**
et le **participe passé** du verbe.

→ p. 106

	AUXILIAIRE *AVOIR*	PARTICIPE PASSÉ			AUXILIAIRE *ÊTRE*	PARTICIPE PASSÉ	
J'	ai	dormi	jusqu'à 10 heures.	Je	me suis	réveillée	à 8 heures.
Tu	as	lu	pendant une heure.	Tu	t' es	levé	à 10 heures.
Il / Elle	a	joué	sur l'ordinateur.	Il	s' est	douché	pendant 1 heure.
Nous	avons	déjeuné	à midi.	Nous	sommes	arrivés	à midi.
Vous	avez	fait	la sieste.	Vous	êtes	partis	après le déjeuner.
Ils / Elles	ont	dîné	à 20 heures.	Elles	sont	rentrées	à 20 heures.

ET DANS VOTRE LANGUE ?
Comment exprime-t-on le passé ?

1. **Reliez A et B. Attention! Parfois, deux réponses possibles.**

A

1. Oncle Pierre
2. Elsa et Paco
3. Tante Carmen
4. Vous
5. Nous
6. J'
7. On

B

a. ont coupé des fleurs dans le jardin.
b. ai chanté une chanson française avec mon oncle.
c. avons mangé dans le jardin.
d. a dressé une jolie table.
e. avez apporté un gâteau.
f. a préparé un repas succulent.
g. a chanté tous ensemble des chansons espagnoles.

2. **Conjuguez les verbes au passé composé.** → p. 102

1. En général, en vacances en Espagne, chez mes cousins, je déjeune à 10 heures,
mais hier j'**ai déjeuné** à 9 heures.

2. En général, je mange avec ma cousine Elsa, mais hier j'........................... avec ma tante Carmen. *(manger)*

3. D'habitude je joue au tennis avec Paco, mais hier ma tante .... avec moi. *(jouer)*

4. En général, je gagne. Mais hier elle .... Elle joue très bien. *(gagner)*

5. D'habitude, je ne transpire pas trop, mais hier j'........................... *(avoir chaud)*.
Ma tante court très vite et tape très fort.

6. L'après-midi, d'habitude, je vais me baigner, mais hier Paco et moi nous ....
(regarder) la télévision. C'était la retransmission du quart de finale France-Espagne.

7. Le soir, nous lisons ou nous jouons aux cartes ou nous sortons un peu en ville. Mais hier soir nous
.... *(regarder)* la télévision. C'était France-Espagne en direct.

3. **Choisissez une expression dans la liste en fonction du dessin.
Conjuguez le verbe au passé composé selon le modèle.** → p. 102

• avoir chaud
• être malade
• avoir soif •
être triste •
avoir froid •
être content
• avoir faim
• être
gourmand

Hier, j'**ai été triste.** Tu .... Il .... On ....

....

Tony et Paco .... Sarah et Laure .... Nous .... Vous ....

....

6

J'ai eu peur !
Il a été courageux ! (2)

Pour former le passé composé, on utilise :

– un **auxiliaire** (l'auxiliaire **avoir** est le plus fréquent) ;
– un **participe passé** (le participe passé varie en fonction du verbe).

■ Le **passé composé avec l'auxiliaire** avoir

• Le participe passé des verbes en -er

Les participes passés des verbes en -er se terminent par -é.
On remplace -er par -é.

déjeuner	J'	**ai**	déjeun**é**	à midi.
manger	Tu	**as**	mang**é**	des pâtes.
travailler	Il / Elle / On	**a**	travaill**é**	un peu.
jouer	Nous	**avons**	jou**é**	au tennis.
laver	Vous	**avez**	lav**é**	la voiture de papa.
préparer	Ils / Elles	**ont**	prépar**é**	le repas du soir.

Les verbes en -er sont les plus nombreux en français.

• Le participe passé des verbes en -ir

La plupart des participes passés des verbes en -ir se terminent par -i.
On remplace -ir par -i.

dormir	J'	**ai**	dorm**i**	jusqu'à midi.
sentir	Tu	**as**	sent**i**	les roses ?
finir	Il / Elle / On	**a**	fin**i**	le dessert.
grandir	Nous	**avons**	grand**i**	de trois centimètres.
choisir	Vous	**avez**	chois**i**	le film ?
mentir	Ils / Elles	**ont**	ment**i**	à leurs amis.

→ autres verbes en *-ir* p. 104

• Le participe passé des verbes avoir et être est irrégulier.

avoir	J'	**ai**	**eu**	chaud.
	Tu	**as**	**eu**	froid.
	Il / Elle / On	**a**	**eu**	peur.
être	Nous	**avons**	**été**	gentils.
	Vous	**avez**	**été**	courageux.
	Ils / Elles	**ont**	**été**	malades.

ET DANS VOTRE LANGUE ?

Est-ce que les participes passés
de être et avoir sont réguliers ?

.....1..... **Complétez le texte. Conjuguez les verbes au passé composé.**

Qui **a gagné** au foot ? *(gagner)*

1. Pendant une heure et demie, les joueurs des deux équipes .... *(être)* fantastiques.

2. Ils .... *(marquer)* six buts.

3. Chaque équipe .... *(marquer)* trois buts. Formidable !

4. Et chaque gardien de but .... *(arrêter)* un penalty. Incroyable !

5. Zidane .... *(être)* extraordinaire. Il .... *(doubler)* deux joueurs,

puis il .... *(passer)* le ballon à Thuram. Thuram .... *(repasser)* le ballon

à Zidane et il .... *(tirer)* droit dans les filets. Superbe !

6. Mais Raul .... *(être)* magnifique aussi. Il .... *(sauter)*

et .... *(marquer)* de la tête. Génial.

7. J'............................ *(adorer)* ce match. À la fin, j'............................ *(chanter)* et

j'............................ *(crier)*, Paco et Elsa .... *(chanter)* et .... *(crier)*

également. Bref, on .... *(chanter et crier)* tous ensemble.

8. J'............................ *(téléphoner)* en France pour parler du match avec ma sœur

puis nous .... *(dîner)* et nous .... *(danser)*.

9. Ce matin, on .... *(acheter)* les journaux pour voir les photos du match

et lire les commentaires des journalistes. J'............................ *(trouver)* un journal français.

Nous .... *(regarder)* les photos dans les journaux français et espagnols

et puis nous .... *(comparer)* les articles.

10. Pour les Français, les Français .... *(être)* les meilleurs. Pour les Espagnols,

les Espagnols .... *(dépasser)* les Français.

11. Pour nous, les deux équipes .... *(gagner)* !

.....2..... **Complétez la grille avec les participes passés des verbes à trouver.**

1. Il n'a pas grossi. Au contraire, il a **maigri**.

2. Hier, Tony a .... jusqu'à midi. Il aime son lit.

3. Pendant les vacances, Alex et Léo ont ....

de 3 cm.

4. J'ai .... mes devoirs. Je peux regarder la télé ?

5. M. Markovsky a trop mangé en France.

Il a .... de 3 kilos.

6. Qu'est-ce que tu as .... au menu ?

Le poulet frites ou le poisson avec des épinards ?

SE SITUER DANS LE TEMPS

Je suis venu, j'ai vu, j'ai vaincu ! (3)

■ Les participes passés des autres verbes
→ tableaux récapitulatifs pp. 116 à 123

Voici les plus courants. Il est préférable de les apprendre par cœur.

VERBES	PASSÉ COMPOSÉ
avoir	j'ai **eu**
être	j'ai **été**
faire	j'ai **fait**
ouvrir	j'ai ouv**ert**
offrir	j'ai off**ert**
découvrir	j'ai découv**ert**
souffrir	j'ai souff**ert**
attendre	j'ai attend**u**
entendre	j'ai entend**u**
descendre	je <u>suis</u> descend**u**
répondre	j'ai répond**u**
correspondre	j'ai correspond**u**
perdre	j'ai perd**u**
tenir	j'ai ten**u**
venir	je <u>suis</u> ven**u***
voir	j'ai v**u***
boire	j'ai b**u**
lire	j'ai l**u**
vaincre	j'ai vaincu*
apprendre	j'ai appr**is**
prendre	j'ai pr**is**
écrire	j'ai écr**it**
dire	j'ai d**it**
naître	il <u>est</u> **né**
mourir	il <u>est</u> **mort**

■ La négation du passé composé → p. 32

• Au passé composé, **ne** se place **devant** l'auxiliaire et **pas** se place **après**.

        auxiliaire
Je **n'** ai **pas** regardé la télévision.
Je **ne** suis **pas** allé au cinéma.

• **Ne** se place **devant** le pronom réfléchi (**me, te, se**…) et **pas** se place **après** l'auxiliaire **être**.

Je **ne** <u>me</u> suis **pas** reposé.
Il **ne** <u>s'</u>est **pas** ennuyé.

CAIUS JULIUS CAESAR

Comme César l'a dit :

Je suis venu*, j'ai vu*, j'ai vaincu*.

ET DANS VOTRE LANGUE ?
• Est-ce qu'il y a des participes passés ?
• Est-ce qu'ils sont plus réguliers ?

.1. Complétez le tableau. Conjuguez les verbes au passé composé.

faire plein de bêtises	prendre le bus dans la mauvaise direction	renverser le chocolat chaud sur la nappe
Hier, Tony **a fait** plein de bêtises.	Il	Il ....

mettre du sel sur ses céréales	dormir au soleil sans chapeau	et... perdre les clés de la maison
Il	Il	Il ....

.2. À vous ! Imaginez cinq situations.
Faites cinq phrases au passé composé selon le modèle.

Hier, j'**ai été très distraite** : au lieu de **mettre** de la crème solaire sur mon visage, j'**ai mis** du dentifrice.

1. Au lieu de .... , j'ai ....
2. Au lieu de .... , j'ai ....
3. Au lieu de .... , j'ai ....
4. Au lieu de .... , j'ai ....
5. Au lieu de .... , j'ai ....

.3. Conjuguez le verbe au passé composé. Mettez le premier verbe à la forme négative
et le deuxième à la forme affirmative.

1. D'habitude, je prends une douche le matin, mais aujourd'hui je **n'ai pas pris** de douche, j'**ai pris** un bain.

2. En général, au petit déjeuner, Elsa et Paco boivent du chocolat chaud mais aujourd'hui,
ils .... , ils *(boire)* .... du thé.

3. M. Lemercier met toujours une cravate pour aller à son travail, mais aujourd'hui, comme il faisait
très chaud, il .... , il *(choisir)* .... un polo.

4. Le soir, avec Paco, nous faisons souvent une partie de Monopoly, mais ce soir,
nous .... ,
nous *(lire)* .... une BD.

5. En été, mes cousins dînent dans le jardin, mais ce soir, il a plu alors ils .... ,
ils *(mettre la table)* .... dans la salle à manger.

6. Tous les après-midi, je joue au tennis avec Paco mais aujourd'hui, je ....
avec Paco, je *(faire)* .... une partie de tennis avec ma tante.

7. D'habitude je gagne, mais contre ma tante, je .... ,
je *(perdre)* ....

 **Je suis allée à la plage ! (4)**

■ Le passé composé avec l'auxiliaire être

→ passé composé avec *avoir* p. 102

• On utilise l'auxiliaire **être** avec les verbes qui indiquent un **déplacement dans un autre lieu**, le **passage d'un lieu à un autre**, comme *aller* et *venir*.
Ces verbes sont au nombre de 14*.

Mais où est donc Tony ?

aller	venir	Il **est allé** et **venu** sans arrêt ce matin.
arriver	partir	Il **est arrivé** et il **est (re)parti** tout de suite.
entrer	sortir	Il **est entré** et il **est sorti** quelques minutes plus tard.
monter	descendre	Il **est monté** dans sa chambre, il **est descendu** dans le jardin.
passer		Il **est passé** devant moi en courant.
retourner		Il **est retourné** dans le jardin…

MAIS AUSSI

tomber	… puis il **est tombé** dans les escaliers.
rester	Alors il **est resté** dans son lit toute la journée.

ET ENCORE

naître	mourir	Il **est né** fatigué et il **est mort** de fatigue !

• On utilise aussi l'auxiliaire **être** avec les **verbes pronominaux**.

Mais qu'est-ce que tu as fait, Tony ?

se blesser	Je **me suis blessé** tout à l'heure,
se couper	je **me suis coupé**.
se reposer	Mais ça va mieux maintenant… Je **me suis reposé**.

> **ATTENTION !**
>
> Le pronom (**me, te, se**…) se place **devant** l'auxiliaire *être*.
>
> | pronom | auxiliaire | participe passé |
> |---|---|---|
> | Je **me** | suis | reposé. |
> | Il **s'** | est | endormi. |

• **L'accord du participe passé avec l'auxiliaire** être

Comme l'adjectif, après **être**, le participe passé **s'accorde avec le sujet**.

→ pp. 46 et 48

SUJET	ÊTRE	ADJECTIF	SUJET	ÊTRE	PARTICIPE PASSÉ	
Tony n'	est	pas très sporti**f**.	Il	est	all**é**	à la plage.
Elsa	est	très sporti**ve**.	Elle	est	allé**e**	à la piscine.
Paco et Tony	sont	gourmand**s**.	Ils	sont	allé**s**	dans une pâtisserie.
Elsa et Carmen	sont	espagnol**es**.	Elles	sont	né**es**	en Espagne.
Paco	est	malade.	Il s'	est	repos**é**	tout l'après-midi.

*Et leurs composés : *revenir, repartir, rentrer, ressortir*, etc.

1. Complétez le texte. Conjuguez les verbes au passé composé.

1. Je *(arriver)* suis arrivé en Espagne, il y a quinze jours.

2. Nous *(monter)* .... dans l'avion à 9 h 30.

3. On *(attendre)* .... une heure et demie avant de décoller.

4. Finalement l'avion *(partir)* .... à 11 heures

et *(arriver)* .... à Séville à 13 h 30.

5. Nous *(rester)* .... dans l'avion une demi-heure

puis nous *(descendre)* ....

6. On *(attendre)* .... nos bagages pendant cinquante minutes.

Ils *(ne pas arriver)* ....

7. Quelqu'un *(passer)* .... pour nous dire : « Pas de panique. Vos bagages

(ne pas tomber) .... de l'avion. Ils *(retourner)* ....

en France. Ils vont arriver ce soir. »

8. Nous *(sortir)* .... de l'aéroport vers 3 heures, sans bagages.

Parfois, le train… c'est plus rapide.

2. Complétez le texte. Conjuguez les verbes au passé composé.

1. Tony *(partir)* est parti en Espagne. Sarah *(partir)* est partie au Maroc.

2. Il *(aller)* .... chez ses cousins. Elle *(aller)* .... chez Karim.

3. Léo *(arriver)* .... hier. Julie *(arriver)* .... hier.

4. Tony et ses cousins *(venir)* .... La famille de Karim *(venir)* ....

.... accueillir Léo à la gare. accueillir Julie à l'aéroport.

5. Il *(retrouver)* .... Sarah et Julie *(se retrouver)* ....

Tony. et *(s'embrasser)* ....

6. Ils *(arriver)* .... Elles *(arriver)* .... à 7 heures

à la maison à midi. et *(se reposer)* .... à la maison.

7. Ils *(boire)* ....un verre d'eau Julie *(se doucher)* .... ,

fraîche, ils *(manger)* .... elle *(se changer)* .... ,

une salade de riz puis ils *(aller)* .... elle *(s'habiller)* ....

à la plage. plus légèrement. Il fait chaud au Maroc.

8. Elsa *(se baigner)* .... Tout le monde *(déjeuner)* ....

Léo et Tony *(discuter)* .... Puis Karim, Sarah et Julie *(aller)* ....

à la plage. Karim *(se baigner)* ....

et les filles *(discuter)* ....

Ah ces garçons, quels pipelets* ! Ah ces filles, quelles pipelettes* !

---

* Un « pipelet » = un homme très bavard / Une « pipelette » = une femme très bavarde.

6

depuis une semaine,
il y a dix jours

SE SITUER DANS LE TEMPS

De :   tonylem@gratoos.com
À :   leopard@gratoos.com

Cher Léo,
Je suis arrivé en Espagne **il y a dix jours**.
Je m'amuse follement. Il fait beau.
Mes cousins sont sympas.
Nous attendons ton coup de fil **depuis hier**.
Que s'est-il passé? Appelle ou envoie
un mél.
Viens vite! Samedi prochain, nous allons
faire une randonnée dans les Pics d'Europe.
J'en rêve depuis toujours.
Tu as le bonjour de mon cousin…
et de ma cousine.
TONY

depuis

• On utilise **depuis** avec un verbe au **présent**, pour indiquer qu'une action passée dure encore. **L'action a commencé avant** le moment où on parle **et continue encore** au moment où on parle.

> présent
> Je **suis** en Espagne **depuis** dix jours.
> (= Nous sommes le 15 juillet. Je suis arrivé le 5 juillet. Et aujourd'hui (15 juillet) je suis encore en Espagne.)

Pierre Lemercier, l'oncle de Tony, est français.

> présent
> Mais il **vit** en Espagne **depuis** 20 ans.
> (Et il vit encore en Espagne.)

il y a

• On utilise **il y a** avec le **passé composé** pour indiquer **le moment du passé**
où une action a eu lieu. Cette action s'est passée **avant** le moment où on parle.
On n'insiste pas sur la durée de l'action mais sur **le moment** où elle a eu lieu.

> **Je suis arrivé il y a** dix jours. (= Nous sommes le 15 juillet. Je suis arrivé le 5 juillet.
> → J'indique le moment, la date de mon arrivée. C'est tout.)

> **J'ai écrit** à Léo **il y a** deux jours. (= Je dis quand, à quel moment
> (dans le passé) j'ai écrit à Léo. C'est tout.)

ET DANS VOTRE LANGUE?
Comment exprime-t-on
la différence entre:
– Je **suis** ici **depuis** dix jours, et
– Je **suis** arrivé **il y a** dix jours?

1. Reliez A et B. Attention ! Parfois, deux réponses sont possibles.

A	B
1. Tony est en Espagne	**a.** le 1ᵉʳ août.
2. Son ami Léo est arrivé à Séville	**b.** depuis toujours.
3. Sarah est partie au Maroc	**c.** il y a trois jours.
4. Laure se balade en Corse	**d.** depuis quinze jours.
5. Camille rêve des Antilles	**e.** depuis trois semaines.

2. Barrez le mot incorrect.

1. Karim, qu'est-ce que tu fais *depuis / il y a* quinze jours ?

2. Je suis parti au Maroc. Je suis arrivé chez mes grands-parents *il y a / depuis* deux semaines.

3. Sarah *arrive / est arrivée* il y a une semaine.

4. Il y a trois jours, *nous avons fait / nous faisons* une randonnée en montagne.

5. Depuis une semaine, *il fait / il a fait* trop chaud.

6. *Depuis / Il y a* le début de la matinée, nous sommes dans le jardin, à l'ombre des palmiers.

3. Complétez avec depuis ou il y a.

1. M. et Mme Marty sont mariés **depuis** quinze ans.

2. Ils se sont rencontrés .... dix-huit ans.

3. Ils ont eu leur fille .... treize ans.

4. Ils habitent à Triel .... dix ans.

5. .... cinq ans, ils ont un chien.

6. .... un an, Léo a reçu une souris pour son anniversaire.

7. .... la rentrée scolaire, ils ont une correspondante italienne, Carla.

8. Mais .... un mois, elle est de nouveau chez elle, en Italie.

9. .... son départ, la famille Marty est un peu triste.

4. Parlez maintenant de votre famille. Utilisez il y a et depuis. Vous pouvez aussi utiliser, si vous voulez, pendant et en.

→ p. 110

1. Mes parents se sont rencontrés à .... , il y a ....

2. Ils sont mariés depuis ....

3. ....

4. ....

5. ....

6. ....

7. ....

8. ....

9. ....

pendant toute la journée, en une heure

pendant

• On utilise **pendant** pour indiquer une **durée limitée** dans le temps.
On utilise **pendant** surtout avec le **passé composé**.

> Aujourd'hui, j'**ai joué** au tennis **pendant** trois heures. (De 16 h à 19 h. Maintenant, il est 20 h, je ne joue plus.)

> **ATTENTION !**
> Dans la langue courante, on supprime parfois **pendant**.
> Je suis resté deux semaines au Maroc. (= Je suis resté au Maroc **pendant** deux semaines.)

• On trouve **parfois pendant** avec le **présent** pour indiquer une durée limitée dans le temps, **qui se répète**.

> **Tous les jours, je joue** au tennis **pendant deux heures** (de 16 h à 18 h) mais hier j'ai joué pendant trois heures. (de 16 h à 19 h.)

en

• On utilise **en** avec le **présent ou** avec le **passé composé** pour indiquer le **temps nécessaire** pour faire quelque chose.
En indique généralement une **courte durée**.

> Je suis très rapide. Le matin, **je mange en un quart d'heure**. (= Cela me prend seulement un quart d'heure pour manger.)

> Ce matin, **j'ai fait** ma valise **en vingt minutes**. (= Cela m'a pris vingt minutes seulement pour faire ma valise.)

> **Il a fait** le tour du monde **en quatre-vingts jours**. (= Il a mis (seulement) quatre-vingts jours pour faire le tour du monde.)

> ET DANS VOTRE LANGUE ?
>
> Comment exprime-t-on la durée d'une action dans le passé ?

..1.. **Mettez les phrases dans l'ordre et conjuguez les verbes.**

Aux Antilles, chez Camille.

a. Nous *(rester)* .... à Fort-de-France pendant deux jours. ☐

b. Nous *(se reposer)* .... dans leur maison pendant deux jours et il y a

quelques jours, mes parents *(louer)* .... une maison à côté de chez eux. ☐

c. Nous *(partir)* .... il y a trois semaines. ☐

d. Nous *(être)* .... maintenant dans le village des grands-parents

de Camille depuis une semaine. ☐

e. J'*(attendre)* .... mes frères et mes sœurs. ☐

f. Nous *(acheter)* .... les billets il y a deux mois. ☐

g. Nous *(se promener)* .... dans les jolies rues de la ville

et nous *(visiter)* .... les églises et les musées. ☐

h. Nous *(décider)* avons décidé de partir aux Antilles, chez Camille, il y a trois mois. ☐1

..2.. **Parlez un peu de vous. Faites des phrases avec les mots suivants.**
Conjuguez les verbes au temps correct et complétez les phrases ➜ p. 104

1. L'année dernière ▪ *(partir)* en vacances ▪ en… ▪ pendant…

L'année dernière je suis parti(e) en Grèce pendant deux semaines.

2. Il y a… ▪ *(aller)* avec un(e) ami (e) ▪ en / au / aux…

....

3. Depuis… ▪ *(passer)* les vacances d'hiver ▪ à…

....

4. Ma meilleure amie ▪ *(venir)* chez moi ▪ il y a…

....

5. Hier ▪ *(s'endormir)* à… ▪ et *(dormir)* pendant…

....

6. Ce matin ▪ *(se réveiller)* à… ▪ et *(rester)* sous la douche pendant…

....

7. *(prendre son petit déjeuner)* à…

....

8. *(apprendre)* le français depuis…

....

9. *(apprendre)* le français pendant…

....

10. Tous les jours ▪ *(jouer)* au… ▪ pendant…

....

Les verbes en -dre

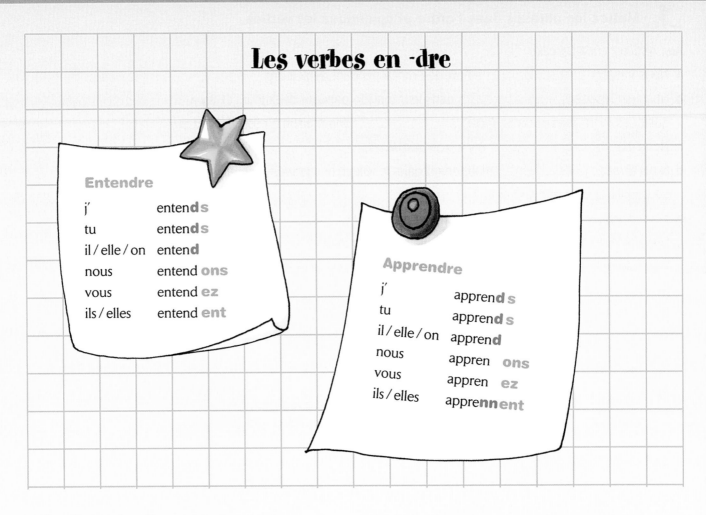

Entendre

j'	enten**ds**
tu	enten**ds**
il / elle / on	enten**d**
nous	entend **ons**
vous	entend **ez**
ils / elles	entend **ent**

Apprendre

j'	appren**ds**
tu	appren**ds**
il / elle / on	appren**d**
nous	appren **ons**
vous	appren **ez**
ils / elles	appre**nn**ent

• Pour former le présent des verbes en **-dre** :
– on enlève la terminaison **-re**,
– et on la remplace au singulier par **-s, -s, Ø** (rien),
au pluriel par **-ons, -ez, -en**t.

→ liste des verbes p. 122

ATTENTION !
• Au pluriel, les verbes **prendre**, **apprendre**, **comprendre**… perdent le **d**.
De plus, à la 3e personne, le **n** est doublé.

→ liste des verbes p. 122

Pardon, mademoiselle, vous compre**nez** l'allemand ?

Non, j'appren**ds** le français, et eux, ils appre**nn**ent l'espagnol.

1 Complétez le tableau. Conjuguez les verbes au présent.

Apprendre le français depuis un an	Correspondre avec un collégien français	Répondre à mes lettres
J'apprends le français depuis un an.	Je	Il ....
Nous	Nous	Ils ....
Prendre le bus à 8 h	**Descendre du bus à 8 h 20**	**Attendre le bus depuis dix minutes**
Tu prends le bus à 8 h.	Tu	On ....
Vous	Vous	Nous ....

2 Conjuguez maintenant les verbes au passé composé.

Apprendre le français pendant un an	Correspondre avec un collégien français	Répondre à mes lettres
J'ai appris le français pendant un an.	Tu	Il ....
Vous	Nous	Elles ....
Prendre le bus à 8 h	**Descendre du bus à 8 h 20**	**Attendre le bus pendant dix minutes**
Je	Tu	Il ....
Nous	Vous	Ils ....

1 Écrivez, en toutes lettres, les heures données par les horloges.

Laure : — Salut Tony ! Alors tu es prêt ?

Tony : — Il est quelle heure là ?

Laure : — ① Sept heures dix. Pourquoi ? **1**

Tony : — Tu es folle ! On est samedi. On n'a pas cours.

Laure : — Oui, mais on fait une partie de tennis ensemble ce matin, non ?

Tony : — À quelle heure ?

Laure : — À ② **2**

Tony : — Ça ne va pas ! C'est trop tôt.

Carlos : — Qui est-ce ?

Tony : — Laure… pour un tennis… à ③ ....

.... **3**

Laure : — Non pas « .... moins .... »,

« .... moins .... ».

Carlos : — Passe-moi le téléphone ! Salut Laure, Carlos à l'appareil.

Quel paresseux ce Tony. Mais moi je suis prêt. Il est quelle heure maintenant ?

④ .... , je termine

mon petit déjeuner. **4**

À ⑤ .... , je me brosse

les dents et je finis de m'habiller. **5**

À ⑥ .... , en courant,

je suis sur le court de tennis. **6**

Laure : — Super. Et qu'est-ce que tu fais cet après-midi ?

Carlos : — Rien. Juste un rendez-vous à ⑦ ....

.... avec Tony, Alex et Léo pour une partie de foot. **7**

Pourquoi ?

Laure : — Je vais au cinéma avec Sarah. La séance commence à

⑧ ....

Tu veux venir avec nous ? **8**

Carlos : — Oui, pourquoi pas ? Le film se termine à quelle heure ?

Laure : — ⑨ **9**

Tu peux venir dîner avec nous si tu veux. On se retrouve à

⑩ .... chez Mme Marty. **10**

Carlos : — Ça marche. À tout de suite. Oh ! Il est déjà ⑪ ....

.... **11**

2 **Mettez les phrases au passé composé.**

1. Sarah *(ne pas partir)* n'est pas partie en Espagne.

2. Léo *(ne pas aller)* .... au Maroc.

3. Justine *(ne pas partir)* .... aux Antilles.

4. Léo et Tony *(ne pas arriver)* .... à l'heure.

5. Aujourd'hui Julie et Sarah *(ne pas se baigner)* ....

6. Karim et son père *(ne pas se balader)* ....

7. Hier, ils *(ne pas se coucher)* .... avant minuit.

3 **Entourez la réponse correcte.**

En France, les grandes vacances commencent (en juillet) / juillet / à juillet.
Généralement (le premier juillet) / premier juillet.

1. *Noël / À Noël / En Noël*, enfin *à la fin d'année / à fin d'année / à la fin de l'année*,
les élèves ont quinze jours de vacances.

2. *En mois de février / Au mois de février / À février* aussi.

3. *Chaque année / Toute l'année*, Sarah, Alex et Léo vont faire du ski avec leurs parents
mais *chaque année / cette année / toute l'année*, Sarah part avec son professeur de latin
et toute la classe en Italie.

4. *En printemps / Au printemps / Printemps*, les élèves ont de nouveau deux semaines de congés.

5. *À ces vacances de printemps / Pendant ces vacances de printemps*, certains font du ski,
d'autres restent à la maison. Sarah, elle, va chez ses grands-parents avec ses frères.

6. Elle se repose. *Elle se lève depuis dix heures. / Elle ne se lève qu'à dix heures.*

7. *Ce soir / Le soir*, leur grand-mère leur fait souvent des frites ou des crêpes. Ils adorent ça !

8. Ils vont à la piscine *une ou deux fois par semaine / une ou deux fois à semaine /
une ou deux fois de la semaine.*

9. Et presque *les soirs / Tous les soirs / Au soir*, ils regardent la télévision. Ce sont de super vacances.

4 **À votre tour, donnez les dates des vacances dans votre pays
et racontez vos vacances :**
– **vos vacances en général,**
– **vos vacances passées,**
– **ou vos prochaines vacances.**
Utilisez le plus d'expressions de temps possible. Attention aux temps.

....

....

....

....

....

TABLEAUX DE CONJUGAISON

Les verbes être et avoir

Être

PRÉSENT		IMPÉRATIF	PASSÉ COMPOSÉ		
je	**suis**		j'	ai	**été**
tu	**es**	**sois**	tu	as	**été**
il / elle / on	**est**		il / elle / on	a	**été**
nous	**sommes**	**soyons**	nous	avons	**été**
vous	**êtes**	**soyez**	vous	avez	**été**
ils / elles	**sont**		ils / elles	ont	**été**

Avoir

PRÉSENT		IMPÉRATIF	PASSÉ COMPOSÉ		
j'	**ai**		j'	ai	**eu**
tu	**as**	**aie**	tu	as	**eu**
il / elle / on	**a**		il / elle / on	a	**eu**
nous	**avons**	**ayons**	nous	avons	**eu**
vous	**avez**	**ayez**	vous	avez	**eu**
ils / elles	**ont**		ils / elles	ont	**eu**

Verbes réguliers en -er

Parler

PRÉSENT		IMPÉRATIF	PASSÉ COMPOSÉ		
je	parle		j'	ai	parlé
tu	parles	parle	tu	as	parlé
il / elle / on	parle		il / elle / on	a	parlé
nous	parlons	parlons	nous	avons	parlé
vous	parlez	parlez	vous	avez	parlé
ils / elles	parlent		ils / elles	ont	parlé

Se conjuguent comme *parler*: admirer, adorer, aimer, apporter, arrêter, arriver, attirer, bavarder, briller, casser, chanter, classer, comparer, composer, compter, continuer, couper, coûter, crier, danser, décider, déjeuner, demander, dépasser, détester, deviner, donner, doubler, dresser, écouter, entourer, entrer, étudier, exprimer, former, gagner, garder, habiter, identifier, indiquer, inviter, jouer, laisser, louer, manquer, marcher, marquer, montrer, naviguer, oublier, passer, pique-niquer, porter, poser, préciser, préparer, proposer, quitter, raconter, regarder, rencontrer, rentrer, renverser, respirer, rester, retourner, retrouver, sauter, taper, téléphoner, tirer, tomber, tourner, transpirer, travailler, traverser, trouver, utiliser, visiter, voyager…
MAIS AUSSI cliquer, zapper, surfer…

TABLEAUX DE CONJUGAISON

Verbes pronominaux en -er

Se laver

PRÉSENT			IMPÉRATIF	PASSÉ COMPOSÉ			
je	me	lave		je	me	suis	lavé(e)
tu	te	laves	lave-toi	tu	t'	es	lavé(e)
il / elle / on	se	lave		il / elle / on	s'	est	lavé(e)
nous	nous	lavons	lavons-nous	nous	nous	sommes	lavé(e)s
vous	vous	lavez	lavez-vous	vous	vous	êtes	lavé(e)(s)
ils / elles	se	lavent		ils / elles	se	sont	lavé(e)s

Se conjuguent comme *se laver*: se présenter, se brosser, se réveiller, se doucher, se reposer, se coucher, se baigner, se maquiller…

ATTENTION!
- *se lever, se promener*…, voir *acheter* (verbes en *-e* + consonne + *-er*)
- *s'appeler, épeler, jeter*…, voir *appeler*.
- **me, te** et **se** deviennent **m', t', s'** devant une voyelle et h.

Exemples: s'accorder, s'appeler, s'endormir, s'énerver, s'installer, s'amuser…

Verbes irréguliers en -er

Manger
Verbes en *-ger* → g / g*e*

PRÉSENT		IMPÉRATIF	PASSÉ COMPOSÉ		
je	mange		j'	ai	mangé
tu	manges	mange	tu	as	mangé
il / elle / on	mange		il / elle / on	a	mangé
nous	mangeons	mangeons	nous	avons	mangé
vous	mangez	mangez	vous	avez	mangé
ils / elles	mangent		ils / elles	ont	mangé

Se conjuguent comme *manger*: ranger, changer, longer, partager, diriger, déménager, bouger, voyager, mélanger, obliger, nager…

Commencer
Verbes en *-cer*: c / ç

PRÉSENT		IMPÉRATIF	PASSÉ COMPOSÉ		
je	commence		j'	ai	commencé
tu	commences	commence	tu	as	commencé
il / elle / on	commence		il / elle / on	a	commencé
nous	commençons	commençons	nous	avons	commencé
vous	commencez	commencez	vous	avez	commencé
ils / elles	commencent		ils / elles	ont	commencé

Se conjuguent comme *commencer*: recommencer, annoncer, avancer, effacer, placer (remplacer, déplacer), prononcer, lancer…

TABLEAUX DE CONJUGAISON

Appeler — Verbes en -eler → l / ll

PRÉSENT		IMPÉRATIF	PASSÉ COMPOSÉ		
j'	appelle		j'	ai	appelé
tu	appelles	appelle	tu	as	appelé
il / elle / on	appelle		il / elle / on	a	appelé
nous	appelons	appelons	nous	avons	appelé
vous	appelez	appelez	vous	avez	appelé
ils / elles	appellent		ils / elles	ont	appelé

Se conjuguent comme *appeler*: rappeler, épeler…

Jeter — Verbes en -eter → t / tt

PRÉSENT		IMPÉRATIF	PASSÉ COMPOSÉ		
je	jette		j'	ai	jeté
tu	jettes	jette	tu	as	jeté
il / elle / on	jette		il / elle / on	a	jeté
nous	jetons	jetons	nous	avons	jeté
vous	jetez	jetez	vous	avez	jeté
ils / elles	jettent		ils / elles	ont	jeté

Se conjuguent comme *jeter*: rejeter, projeter, feuilleter…

Acheter — Verbes en -e + consonne + -er → e / è

PRÉSENT		IMPÉRATIF	PASSÉ COMPOSÉ		
j'	achète		j'	ai	acheté
tu	achètes	achète	tu	as	acheté
il / elle / on	achète		il / elle / on	a	acheté
nous	achetons	achetons	nous	avons	acheté
vous	achetez	achetez	vous	avez	acheté
ils / elles	achètent		ils / elles	ont	acheté

Se conjuguent comme *acheter*: enlever, peser, geler (congeler, dégeler), (se) lever (soulever, enlever), (se) promener, mener (amener, ramener)…

Préférer — Verbes en -é + consonne + -er → é / è

PRÉSENT		IMPÉRATIF	PASSÉ COMPOSÉ		
je	préfère		j'	ai	préféré
tu	préfères	préfère	tu	as	préféré
il / elle / on	préfère		il / elle / on	a	préféré
nous	préférons	préférons	nous	avons	préféré
vous	préférez	préférez	vous	avez	préféré
ils / elles	préfèrent		ils / elles	ont	préféré

Se conjuguent comme *préférer*: posséder, exagérer, espérer, répéter, compléter, s'inquiéter, célébrer…

TABLEAUX DE CONJUGAISON

Envoyer   Verbes en *-oyer* → *y / i*

PRÉSENT		IMPÉRATIF	PASSÉ COMPOSÉ		
j'	envo**ie**		j'	ai	envoy**é**
tu	envo**ies**	envo**ie**	tu	as	envoy**é**
il / elle / on	envo**ie**		il / elle / on	a	envoy**é**
nous	envoy**ons**	envoy**ons**	nous	avons	envoy**é**
vous	envoy**ez**	envoy**ez**	vous	avez	envoy**é**
ils / elles	envo**ient**		ils / elles	ont	envoy**é**

Se conjuguent comme *envoyer*: employer, nettoyer, (se) noyer…

S'ennuyer   Verbes en *-uyer* → *y / i*

PRÉSENT			IMPÉRATIF	PASSÉ COMPOSÉ			
je	m'	ennu**ie**		je	me	**suis**	ennuy**é(e)**
tu	t'	ennu**ies**	ne t'ennuie pas	tu	t'	**es**	ennuy**é(e)**
il / elle / on	s'	ennu**ie**		il / elle / on	s'	**est**	ennuy**é(e)**
nous	**nous**	ennuy**ons**	ne **nous** ennuyons pas	nous	nous	**sommes**	ennuy**é(e)s**
vous	**vous**	ennuy**ez**	ne **vous** ennuyez pas	vous	vous	**êtes**	ennuy**é(e)(s)**
ils / elles	**s'**	ennu**ient**		ils / elles	se	**sont**	ennuy**é(e)s**

Se conjuguent comme *s'ennuyer*: (s')essuyer, (s')appuyer…

Payer   Verbes en *-oyer* → *y / i*

PRÉSENT		IMPÉRATIF	PASSÉ COMPOSÉ		
je	pa**ye** / pa**ie**		j'	ai	pay**é**
tu	pa**yes** / pa**ies**	pa**ye** / pa**ie**	tu	as	pay**é**
il / elle / on	pa**ye** / pa**ie**		il / elle / on	a	pay**é**
nous	pa**yons**	pa**yons**	nous	avons	pay**é**
vous	pa**yez**	pa**yez**	vous	avez	pay**é**
ils / elles	pa**yent** / pa**ient**		ils / elles	ont	pay**é**

Se conjuguent comme *payer*: rayer, balayer…

Aller   Verbe en *-er* complètement irrégulier

PRÉSENT		IMPÉRATIF	PASSÉ COMPOSÉ		
je	**vais**		je	**suis**	all**é(e)**
tu	**vas**	**va**	tu	**es**	all**é(e)**
il / elle / on	**va**		il / elle / on	**est**	all**é(e)**
nous	allons	allons	nous	**sommes**	all**é(e)s**
vous	allez	allez	vous	**êtes**	all**é(e)(s)**
ils / elles	**vont**		ils / elles	**sont**	all**é(e)s**

Verbes en -ir

Finir

Verbes en *-ir* → 1ʳᵉ pers. sing.: *-is*; 1ʳᵉ pers. plur.: *-issons*

PRÉSENT		IMPÉRATIF	PASSÉ COMPOSÉ		
je	finis		j'	ai	fini
tu	finis	finis	tu	as	fini
il / elle / on	finit		il / elle / on	a	fini
nous	finissons	finissons	nous	avons	fini
vous	finissez	finissez	vous	avez	fini
ils / elles	finissent		ils / elles	ont	fini

Se conjuguent comme *finir*: choisir, vieillir, rougir, grandir, grossir, maigrir, blanchir, noircir, rougir...

Courir

PRÉSENT		IMPÉRATIF	PASSÉ COMPOSÉ		
je	cours		j'	ai	couru
tu	cours	cours	tu	as	couru
il / elle / on	court		il / elle / on	a	couru
nous	courons	courons	nous	avons	couru
vous	courez	courez	vous	avez	couru
ils / elles	courent		ils / elles	ont	couru

• *courir* se conjugue comme *partir*, mais garde le -r- partout.

Se conjuguent comme *courir*: accourir, parcourir, secourir...

Partir

Verbes en *-ir* → 1ʳᵉ pers. sing.: par + *-s*; 1ʳᵉ pers. plur.: part + *-ons*

PRÉSENT		IMPÉRATIF	PASSÉ COMPOSÉ		
je	pars		je	suis	parti(e)
tu	pars	pars	tu	es	parti(e)
il / elle / on	part		il / elle / on	est	parti(e)
nous	partons	partons	nous	sommes	parti(e)s
vous	partez	partez	vous	êtes	parti(e)(s)
ils / elles	partent		ils / elles	sont	parti(e)s

Se conjuguent comme *partir*: dormir, s'endormir, mentir, sentir, sortir, servir...

Ouvrir

Verbes en *-ir* → 1ʳᵉ pers. sing.: *-e*; 1ʳᵉ pers. plur.: *-ons*

PRÉSENT		IMPÉRATIF	PASSÉ COMPOSÉ		
j'	ouvre		j'	ai	ouvert
tu	ouvres	ouvre	tu	as	ouvert
il / elle / on	ouvre		il / elle / on	a	ouvert
nous	ouvrons	ouvrons	nous	avons	ouvert
vous	ouvrez	ouvrez	vous	avez	ouvert
ils / elles	ouvrent		ils / elles	ont	ouvert

Se conjuguent comme *ouvrir*: découvrir, offrir...

TABLEAUX DE CONJUGAISON

Venir — Verbe en *-ir* complètement irrégulier

PRÉSENT		IMPÉRATIF	PASSÉ COMPOSÉ		
je	**viens**		je	**suis**	ven**u(e)**
tu	**viens**	**viens**	tu	es	ven**u(e)**
il / elle / on	**vient**		il / elle / on	est	ven**u(e)**
nous	ven**ons**	ven**ons**	nous	**sommes**	ven**u(e)s**
vous	ven**ez**	ven**ez**	vous	êtes	ven**u(e)(s)**
ils / elles	**viennent**		ils / elles	**sont**	ven**u(e)s**

> **Se conjuguent comme *venir*:** devenir, revenir, prévenir, se souvenir, tenir (je tiens…), appartenir, retenir…

Mourir — Verbe en *-ir* complètement irrégulier

PRÉSENT		IMPÉRATIF	PASSÉ COMPOSÉ		
je	**meurs**		je	**suis**	**mort(e)**
tu	**meurs**	**meurs**	tu	es	**mort(e)**
il / elle / on	**meurt**		il / elle / on	est	**mort(e)**
nous	mour**ons**	mour**ons**	nous	**sommes**	**mort(e)s**
vous	mour**ez**	mour**ez**	vous	êtes	**mort(e)(s)**
ils / elles	**meurent**		ils / elles	**sont**	**mort(e)s**

Verbes réguliers en -ire

Lire

PRÉSENT		IMPÉRATIF	PASSÉ COMPOSÉ		
je	**lis**		j'	ai	**lu**
tu	**lis**	**lis**	tu	as	**lu**
il / elle / on	**lit**		il / elle / on	a	**lu**
nous	**lisons**	**lisons**	nous	avons	**lu**
vous	**lisez**	**lisez**	vous	avez	**lu**
ils / elles	**lisent**		ils / elles	ont	**lu**

> **Se conjuguent comme *lire*:** relire, élire…

Dire

PRÉSENT		IMPÉRATIF	PASSÉ COMPOSÉ		
je	**dis**		j'	ai	**dit**
tu	**dis**	**dis**	tu	as	**dit**
il / elle / on	**dit**		il / elle / on	a	**dit**
nous	**disons**	**disons**	nous	avons	**dit**
vous	**dites**	**dites**	vous	avez	**dit**
ils / elles	**disent**		ils / elles	ont	**dit**

TABLEAUX DE CONJUGAISON

Écrire

PRÉSENT		IMPÉRATIF	PASSÉ COMPOSÉ		
j'	écris		j'	ai	écrit
tu	écris	écris	tu	as	écrit
il / elle / on	écrit		il / elle / on	a	écrit
nous	écrivons	écrivons	nous	avons	écrit
vous	écrivez	écrivez	vous	avez	écrit
ils / elles	écrivent		ils / elles	ont	écrit

Rire

PRÉSENT		IMPÉRATIF	PASSÉ COMPOSÉ		
je	ris		j'	ai	ri
tu	ris	ris	tu	as	ri
il / elle / on	rit		il / elle / on	a	ri
nous	rions	rions	nous	avons	ri
vous	riez	riez	vous	avez	ri
ils / elles	rient		ils / elles	ont	ri

Verbes en -dre

Entendre

PRÉSENT		IMPÉRATIF	PASSÉ COMPOSÉ		
j'	entends		j'	ai	entendu
tu	entends	entends	tu	as	entendu
il / elle / on	entend		il / elle / on	a	entendu
nous	entendons	entendons	nous	avons	entendu
vous	entendez	entendez	vous	avez	entendu
ils / elles	entendent		ils / elles	ont	entendu

Se conjuguent comme *entendre*: attendre, descendre, vendre, répondre, correspondre, perdre…

Prendre

PRÉSENT		IMPÉRATIF	PASSÉ COMPOSÉ		
je	prends		j'	ai	pris
tu	prends	prends	tu	as	pris
il / elle / on	prend		il / elle / on	a	pris
nous	prenons	prenons	nous	avons	pris
vous	prenez	prenez	vous	avez	pris
ils / elles	prennent		ils / elles	ont	pris

Se conjuguent comme *prendre*: apprendre, comprendre (et les autres composés de prendre).

TABLEAUX DE CONJUGAISON

Autres verbes en -re

Faire

PRÉSENT		IMPÉRATIF	PASSÉ COMPOSÉ		
je	fais		j'	ai	**fait**
tu	fais	fais	tu	as	**fait**
il / elle / on	fait		il / elle / on	a	**fait**
nous	faisons	faisons	nous	avons	**fait**
vous	**faites**	**faites**	vous	avez	**fait**
ils / elles	**font**		ils / elles	ont	**fait**

Boire

PRÉSENT		IMPÉRATIF	PASSÉ COMPOSÉ		
je	bois		j'	ai	**bu**
tu	bois	bois	tu	as	**bu**
il / elle / on	boit		il / elle / on	a	**bu**
nous	**buvons**	**buvons**	nous	avons	**bu**
vous	**buvez**	**buvez**	vous	avez	**bu**
ils / elles	boi**vent**		ils / elles	ont	**bu**

Genre et nombre des noms et adjectifs qualificatifs

Masculin / féminin

1. Pour former le féminin des noms ou des adjectifs, **on ajoute -e au masculin.**

La majorité des noms et des adjectifs qualificatifs suivent cette règle.

• Noms

un ami / **une** amie – un avocat / **une** avocate

le commerçant / **la** commerçante – le client / **la** cliente

un(e) Marocain(e) – un(e) Argentin(e) – un(e) Japonais(e)

• Adjectifs qualificatifs

grand(e) – poli(e) – joli(e) – génial(e) – intelligent(e)

brun(e) – blond(e) – noir(e) – bleu(e)

marocain(e) – argentin(e) – japonais(e)

2. Si le nom ou l'adjectif qualificatif masculin se termine par -e, **il ne change pas au féminin.**

• Noms

un(e) journaliste – un(e) artiste – un(e) dentiste

un(e) fleuriste – un(e) architecte – un(e) élève

un(e) Belge – un(e) Russe – un(e) Britannique

• Adjectifs qualificatifs

sympathique – timide – propre – calme – facile

belge – suisse – russe – britannique

3. Parfois, on double la consonne finale au féminin.

• Noms

un(e) pharmacie**n**(**ne**) – un(e) musicie**n**(**ne**)

un(e) comédie**n**(**ne**) – un(e) électricie**n**(**ne**)

une Italie**n**(**ne**) – une Europée**n**(**ne**) – une Égyptie**n**(**ne**)

• Adjectifs qualificatifs

migno**nne** – bo**nne** – italie**nne** – europée**nne** – égyptie**nne**

gro**ss**e – gra**ss**e

nature**lle** – genti**lle**

4. Parfois, **la syllabe finale** change au féminin.

	ADJECTIFS QUALIFICATIFS	NOMS
-if → -ive	sportif(ve) – actif(ve)	un(e) sportif(ve)
-er → -ère	étranger(ère) – léger(ère) – cher(ère)	un(e) boulanger(ère) – un(e) boucher(ère) – un(e) épicier(ère) – un(e) infirmier(ère)
-eux → -euse	curieux(euse) – sérieux(euse) – amoureux(euse) – heureux(euse) – délicieux(euse)	
-eur → -euse	moqueur(euse) – menteur(euse) – tricheur(euse)	un(e) chanteur(euse) – un(e) coiffeur(euse) – un(e) danseur(euse) – un(e) vendeur(euse)
-teur → -trice		un(e) traducteur(trice) – un(e) directeur(trice) – un(e) acteur(trice) – un(e) agriculteur(trice)
-eau → -elle	beau / belle – nouveau(elle)	
-ou → -olle	fou / folle – mou / molle	un fou / une folle
	faux / fausse – roux / rousse	

5. Les adjectifs de couleur

● Certains adjectifs de couleur suivent les mêmes règles que les autres adjectifs qualificatifs.

– Règle 1 : noir(e) – bleu(e) – vert(e) – gris(e)

– Règle 2 : rouge – jaune – beige → masculin ou féminin

● Certains adjectifs (qui rappellent un fruit, une fleur…) ne varient pas au féminin.

rose – **marron** – **prune** – **lilas** – **orange** → masculin ou féminin

6. Certains adjectifs ont un **féminin très irrégulier.**

Il faut les apprendre par cœur.

vieux → vieille   turc → turque
frais → fraîche   grec → grecque
doux → douce   sec → sèche
jaloux → jalouse   blanc → blanche

MASCULIN	MASCULIN DEVANT VOYELLE OU H	FÉMININ
beau	bel	belle
nouveau	nouvel	nouvelle
vieux	vieil	vieille

7. Attention !

● En France, certains noms de profession **n'ont pas de féminin.**

professeur – ingénieur – auteur – mannequin – médecin (Au Québec, on accepte une professeure – une ingénieure – une auteure.)

● Parfois, on utilisera même un article (un possessif ou un démonstratif) masculin.

J'ai pris un rendez-vous avec le Dr Anne Bouquet, mon médecin.

– Madame le ministre, madame le juge, qu'en pensez-vous ?

– Et vous, madame le professeur ?

Singulier / pluriel

1. Pour former le pluriel des noms ou de l'adjectif qualificatif, **on ajoute -s.**

La majorité des noms et des adjectifs qualificatifs suivent cette règle.

● **Noms**

les Marocain**s** – les Bretonne**s** – les Espagnol**s**

les Allemande**s** – les Turc**s** – les Argentin**s**

mais aussi : des livre**s** – des photo**s** – des bonbon**s**…

● **Adjectifs qualificatifs**

joli(**s**) – grand(**s**) – gentil(**s**) – intelligent(**s**)

jolie(**s**) – grande(**s**) – gentille(**s**) – intelligente(**s**)

brun(**s**) – blond(**s**) – noir(**s**) – bleu(**s**)

brune(**s**) – blonde(**s**) – noire(**s**) – bleue(**s**)

marocain(**s**) – breton(**s**) – espagnol(**s**)

allemand(**s**) – turc(**s**) – argentin(**s**)

2. Les noms ou les adjectifs masculins qui se terminent par *-s, -z* ou *-x* **ne changent pas** au pluriel.

● **Noms**

un / des Chinoi**s** – un / des Hongroi**s** – un / des Danoi**s**

un / des Japonai**s** – un / des Anglai**s**

● **Adjectifs qualificatifs**

amoureu**x** – heureu**x** – ennuyeu**x** – malheureu**x** → singulier ou pluriel

3. Les adjectifs masculins qui se terminent par *-al* ont un pluriel en *-aux*.

géni**al**(**aux**) – internation**al**(**aux**) – loc**al**(**aux**)

4. Les adjectifs masculins qui se terminent par *-eau* ont un pluriel en *-eaux*.

beau / beau**x** – nouv**eau**(**eaux**)

5. Adjectifs de couleur

● Certains adjectifs de couleur suivent les mêmes règles que les autres adjectifs qualificatifs.

– Règle 1 : noir(**s**) – bleu(**s**) – vert(**s**) – blanc(**s**)
             noire(**s**) – bleue(**s**) – rouge(**s**) – grise(**s**) – blanche(**s**)

– Règle 2 : gris → singulier ou pluriel

● Certains adjectifs (qui rappellent un fruit, une fleur…) ne varient pas au pluriel.

rose – **marron** – **prune** – **lilas** – **orange** → singulier ou pluriel

Index

Direction éditoriale : Michèle Grandmangin
Édition : Christine Grall
Direction artistique : Catherine Tasseau
Illustrations : Marie-Hélène Carlier
Mise en pages : Télémaque
Couverture : Michel Munier
N° d'éditeur : 10180434 - **CGI** - Août 2011